「役に立たない」研究の未来

初田哲男・大隅良典・隠岐さや香
ナビゲーター 柴藤亮介

柏書房

「役に立たない」研究の未来

はじめに▼▼科学とお金と、私たちのこれから

ナビゲーター　柴藤亮介《しばとうりょうすけ》（アカデミスト株式会社）

みなさんには「推《お》し研究者」はいますか？

えっ、突然どうしたの？　そんなのいないよ。アイドルや俳優《はいゆう》ならまだしも……。そんなふうに思われたかもしれませんね。実際、すぐに答えられる人はなかなかいないように思います。というのも、私たちが日常生活を送るうえで、研究者のことを知る機会や接する機会はほとんどないからです。

それでは、なぜ研究者と接する機会が少ないのでしょうか？

その理由は、ズバリ「お金」。つまり、研究費を国や企業が分配しているためではないかと私は考えています。日本の研究者は、こうして支給されるお金を元手に研究をおこなっているため、研究費の利用用途や研究成果を国や企業に報告することにな

ります。その結果、お金（研究費）と情報（研究成果）が特定の関係者のあいだでだけ循環《じゅんかん》しやすい環境《かんきょう》ができあがります。このように、私たち市民と研究者とのあいだに壁ができてしまっているのが、学術業界の現状なのです。

私はこの閉ざされた状況（Closed academia）が、研究者にとってはもちろん、市民にとっても大きな機会損失になっているのではないかと感じています。国内三〇万人の研究者たちは今日も、人生を懸《か》けて追究したい「究極の問い」を持ち、それぞれが熱い思いで研究を進めています。この研究者たちの熱量を世の中によりよいかたちで放出することができれば、研究者と市民、研究者と企業、そして研究者と研究者とのあいだに新しい関係性が生まれ、その先にはきっと、まだ誰も気づいていなかったような価値が生み出されるはずです。

そこで私は、「お金（研究費）」を媒介《ばいかい》に研究者と社会の橋渡しをしようと考え、二〇一三年にアカデミスト株式会社を設立しました。目指す先は、国だけではなくすべての人たちと研究者とのあいだにお金や情報が循環し、一人ひとりに「推し研究者」が生まれるような開かれた学術業界（Open academia）を実現することです。

現在私たちは、学術系クラウドファンディングサイト「academist《アカデミスト》」を軸《じく》に、研究者とさまざまな人びとや業界とをつなぐサービス群を運営しています。academistは、一般個人があらゆる分野の研究者に研究費を支援できるウェブサービスで、合計二〇〇件近くの研究プロジェクトがサイトに掲載《けいさい》されています。サービス開始からこれまでの六年間で、約一万五〇〇〇名もの人たちから、合計一・五億円ほどの研究費が集まりました。はじめのうちは「見返りのない研究に支援なんて集まるわけがない」と言われたこともありましたが、研究者が研究について魅力《みりょく》的に語る姿に共感する人たちは着実に増えてきています。

しかしながら、研究者の研究費に関する悩みは尽きません。国立大学等の研究者は、国から各大学・研究機関に分配される「運営費交付金」の一部を研究活動に使うことができます。本編にも出てくるように、運営費交付金は研究室の「生活費」とも呼ばれていて、研究者が自分の知的好奇心にもとづいて最低限の研究をするためのものなのですが、二〇〇四年の国立大学法人化にともない、一五年間で一五〇〇億円削減されました。その一方で、研究者同士が研究アイデアの魅力や有用性を競い合って獲得《かくとく》する「競争的資金」の割合が増えたため、結果的に研究者間に研究費格差が生まれている現状です。

競争的資金には大きく分けると、研究者の自由な発想にもとづくボトムアップ型の研究費と、出口志向の強いトップダウン型の研究費があり、近年では、後者への投資が増えてきています。トップダウン型の研究費は、経済的価値につながる「役に立つ」研究分野に重点的に配分されることが多く、この「選択と集中」の施策《しさく》については多くの研究者が疑問を持っています。

もちろん、経済的価値の見込める研究への投資は重要ですが、「役に立つ」研究を支えているのは、研究者の自由な発想から生まれた無数の「役に立たない」（とされる）研究、すなわち運営費交付金により支えられている「基礎《きそ》研究」であることも同時に考えていかなくてはなりません。なにより、読み進めていただければおわかりになるとおり、そもそも何をもって「役に立つ」研究とするのかは非常にあいまいで、難しい問題なのです。

研究者にとって、そして究極的には私たち市民にとって、有限の財源をどう配分するのがベストなのでしょうか。社会保障費が膨《ふく》れ上がることが明らかであるこれからの時代において、学術研究のあり方自体を見直していく必要があるのかもしれません。これまでのように研究者と国だけではなく、研究者と市民、研究者と企業など、さまざまなステークホルダー（利害関係者）との関係性を構築しながら学術研究を支えていく仕組みを、模索《もさく》していく必要があるのではないでしょうか。

そのような問題意識から、二〇二〇年八月二二日、令和時代の「役に立たない」研究の進め方について多様な視点から考えるべく、登壇《とうだん》者でもある初田哲男《はつだてつお》さんがプログラムディレクターを務める理化学研究所数理創造プログラム（iTHEMS《アイテムズ》）と共同で、オンライン座談会『初田哲男×大隅良典《おおすみよしのり》×隠岐《おき》さや香《か》――「役に立たない」科学が役に立つ』を開催しました。事前登録者数が九〇〇名を超えるなど、本テーマに対する関心の高さがうかがえたイベントとなりました。本書は、当日の様子をまとめたものとなります。

そもそもこのイベントは、初田さんが監訳《かんやく》された書籍『「役に立たない」科学が役に立つ』（東京大学出版会）が発売されたタイミングということもあり、テーマ先行で始めたものでした。初田さんと企画を考える中で、異なる研究分野の立場からそれぞれの基礎研究観を語っていただくイベントにしたいという方向性が決まり、まずは二〇一六年のノーベル生理学・医学賞受賞後に、各種メディアで基礎研究のあり方について警鐘《けいしょう》を鳴らしつづけている大隅良典さんにお声がけしようと決めました。また、現状共有だけではなく、これからの見通しを考える機会にしたいという狙いもあったため、現場から一歩引いた視点からお話をいただける方として、科学史を専門とする隠岐さや香さんに登壇を依頼しました。

イベントの第一部では、初田さんと大隅さん、隠岐さんのお三方に「基礎研究の現状とこれから」についての話題提供をおこなっていただきました。自然科学（物理学、生命科学）分野の長年の研究体験に裏打ちされた初田さんと大隅さんのお話に加え、「役に立つ／立たない」の議論はいまに始まった話ではないとする隠岐さんの視点をあわせることで、基礎研究の現状を過去五〇〇年の歴史の延長線上に置いて俯瞰《ふかん》することができたように思います。

そして第二部では、お三方の話題提供をもとに「選択と集中」の現状、研究のアウトリーチ活動、令和時代の「役に立たない」（とされる）研究、すなわち基礎研究のあり方という三つの論点について、参加者からのコメントを交えながら会を進めていきました。コロナ禍《か》で研究環境が実際に変わりつつあるということもあり、地に足のついた現実的な議論ができたように思っています。

課題先進国でもある日本社会において、有限の資源をどう配分するのかはきわめて重要な問題であり、研究費に限ったことではありません。本書を通じて、読者のみなさんに日本の学術研究のあり方を考えていただくきっかけになれば幸いです。

また、もしもこの本を手に取ってくれたのがまだ若い学生さんであるなら、自分で決めたテーマを一生懸命に追究することの「おもしろさ」が伝われば幸いですし、そうしたテーマに人生を懸ける研究者たちの存在を身近に感じ、「自分も好きなことに挑戦してみよう！」と思ってもらえたとしたら、これ以上にうれしいことはありません。

二〇二〇年一一月

科学者だけで考えないことが大事／同一化した集団の弱さ／まずは潜在層にアプローチ／かけ離れたジャンルと科学をつなぐ？／どういう関心から、人は研究に対して寄付をするのか？／研究者にも「自分は何をやっているのか」を考える場が必要

3
好奇心を殺さないための「これからの基礎研究」

保証がないと前に進めなくなっている若者へ／研究者としての訓練が無駄になることなんて、ない／女性としての不安／人とは違う、自分だけの軸を持つこと／いくら体制を整えても、社会の意識が変わらなければ意味がない／第三の場所をつくれるか／果たして、それで好奇心は守れるのか／国の貴族的な役割を再検討する／短期的にすべきこと、長期的にすべきこと／人文系科学における「在野」の見直し／個人の活動をどのようにネットワーク化していくか／研究者目線で「おもしろい研究」を支援したい／企業の寄付文化を醸成する／個人単位でも、基礎科学を応援したい人が確実にいる／「科学者の坩堝」をつくる／ボトムとトップの両方から攻めていく／新しい活動だけでなく、すでにある活動との連携も意識する／まとめ

第一部

「役に立つ」ってなんだ？

——プレゼンテーション編

柴藤　本日の司会進行を務めます、アカデミストの柴藤と申します。よろしくお願いいたします。

本日は三名のゲストにお越しいただきました。第一部でお三方から話題提供をいただき、第二部は座談会というかたちで議論を進めていければと思います。

みなさまご存じかもしれませんが、二〇〇四年四月の国立大学法人化[1]以降、運営費交付金の削減[2]、あるいは「選択と集中」[3]によって、基礎科学の予算というのが毎年減ってきています。

しかし、研究者の方々が日々おこなっている知的好奇心にもとづいた研究というのは、「役に立つ」という言葉で表現できるものではなくて、長期的な視点から進めていくことも必要です。

本日ご登壇いただく初田哲男さんが監訳された『「役に立たない」科学が役に立つ』という本が先日出版されました。今回はその本のタイトルをそのまま議論のテーマとさせていただき、この切り口から、どのように基礎研究というものを見ていくことができるのか、あるいは、これからどうやって基礎研究を進めていけばいいのか、といったことについて議論を深めていきたいと思っています。
今回の主催《しゅさい》は理化学研究所数理創造プログラム（iTHEMS）とアカデミストですので、簡単にそれぞれの紹介をさせていただきます。

初田 理化学研究所の初田哲男と申します、今日はよろしくお願いします。主催者の片方として、まずはiTHEMSについてご説明します。iTHEMSはInterdisciplinary Theoretical and Mathematical Sciences Programの略

[1] 大学運営の効率化や透明化、教育・研究水準の向上を目的とした国立大学法人法（二〇〇三年七月成立）の施行にともない、文部科学省内の一機関であった各国立大学は国立大学法人に移行。九九の国立大学が八九法人（現在八六）に再編された。大学運営の責任主体は学長と理事で構成される役員会だが、そのもとに大学の教職員で構成される教育研究評議会と、半数以上が学外の人材であることが定められた経営協議会が設けられた。

[2] 各校の収入不足を補うために国が出す補助金のこと。国立大学の収入は、主に①国からの収入（交付金や補助金等）、②自己収入（授業料や入学料等）、③その他収入（借入金等）で構成されている。総務省によると、二〇一九年度の日本の科学技術研究費は総額一九兆五七五七億円だったが、支出源の八割は応用研究を重視する民間によるもので、国からの支給はおよそ一・九割にすぎなかった。後者に属する運営費交付金は、用途が自由であるため基礎研究を支えてきたのだが、二〇〇四年度に約一兆二四〇〇億円だった交付金は、二〇一六年度に約一五〇〇億円減額された。

[3] 国立大学法人化前後に国がとった競争政策。分野を選択して短期的に集中投資し、社会にイノベーションを起こすことを目指す。

です。数年先ではなく、十年先、百年先、千年先のことを視野に入れながら、理論科学、数学、計算科学の研究者が、共通言語である「数理」的手法を用いて、宇宙・物質・生命の解明や、社会における基本問題の解決を図ることを目指した、理化学研究所の新しい国際研究拠点です。二〇一六年一一月に発足しました。[4]

柴藤　ありがとうございます。今回は、もう片方の主催としてアカデミストが入らせていただきました。私たちは、二〇一四年から学術系クラウドファンディングサイト「academist」を、二〇一五年からは学術系メディア「academist Journal」を運営しておりまして、研究者の方々の魅力や、研究そのものの「おもしろさ」を一般の方々につないでいくことをミッションとしています。今日も、研究者にとって「役に立つ」とは何かという、いわば研究哲《てつ》学《がく》の部分をみなさまにお伝えしていけたらいいな、と思っています。ぜひ、academist のサービス[5]をご覧いただきつつ、ご参加いただければ幸いです。

それでは、まずは話題提供ということで、初田さん、大隅さん、隠岐さん、それぞれのご講演に入りましょう。

4 https://ithems.riken.jp/ja
5 https://academist-cf.com

1

初田哲男

「役に立たない」科学が役に立つ

初田哲男　はつだ てつお

理化学研究所 数理創造プログラム プログラムディレクター

一九五八年、大阪生まれ。理化学研究所数理創造プログラムディレクター、東京大学名誉教授。京都大学大学院理学研究科博士課程修了。理学博士。東京大学大学院理学研究科教授、理化学研究所主任研究員などを経て、現職。専門は理論物理学。仁科記念賞、文部科学大臣表彰（科学技術分野）などを受賞。著書に『Quark-Gluon Plasma』（共著、ケンブリッジ大学出版局）、翻訳に『「役に立たない」科学が役に立つ』（監訳、東京大学出版会）などがある。

初田　では、トップ・バッターとして話題提供させていただきます。

今日お話しさせていただきたいのは次の三点です。一つ目は「役に立つ」ということの意味。二つ目は、基礎研究の意義について。最後は、基礎研究を支える仕組みとしてどういうものがありえるか。三つ目に関しては、第二部のディスカッションでも議論を深めたいと思っておりますので、よろしくお願いします。

なぜ物質は安定なのか

まずは、そもそも私がどういう研究をしてきたのか、ということについて知っていただければと思います。

私が長いあいだ研究しているテーマは、「なぜ物質は安定に存在できるのか」という湯川《ゆかわ》秀樹《ひでき》さん[6]以来の謎《なぞ》です。みなさんご存じのように、われわれの体重の九九・九パーセントは原子核《げんしかく》[7]というものでできています。それは一兆分の一センチメートルくらいの非常に小さな粒《つぶ》です。この原子核というのは、陽子《ようし》と中性子《ちゅうせいし》が集まってできています。

湯川さんが一九三五年に「中間子《ちゅうかんし》論」というのを発表したときには、「原子核はどのようにしてできているのか」「そこでどのような引力《いんりょく》が働いているのか」ということがポイントでした。[8] しかし原子核というのは、引き合ってばかりいると潰《つぶ》れてしまうんです。では、なぜ原子核は潰れずに、物質世界において安定に存在できるのか。

これは、湯川さんの理論だけでは説明しきれない謎で、われわれはそのことについて研究してきたのですが、二〇〇七年ごろにこの問題を解明する理論ができました。[9]

現在は、たくさんの陽子や中性子が集まってできる直径が約二〇キロメートルで重

[6] 一九〇七〜八一年、日本の理論物理学者。中間子論をつくり出し、一九四九年に日本人として初のノーベル賞を受賞した。湯川の理論は、原子核理論や素粒子論と呼ばれる大きな研究領域の発展につながった。

[7] 原子核はイギリス人物理学者でノーベル化学賞受賞者でもあるアーネスト・ラザフォード（一八七一〜一九三七年）が発見した。中性子と陽子の集合体で、原子の中心をなす。原子核が壊れるときに生まれる巨大なエネルギーのことを原子力という。

[8] 当時、原子核が、正の電気を帯びた陽子と、電荷ゼロの中性子という二種の核子が集まってできていることは知られていた。しかし、正の陽子が大量に集まれば、電気的に大きな反発力が生まれ飛び散ってしまいそうなのに、そうはなっていなかったのである。そこで、原子核を結合する未知の力（核力）を生むものとして想定されたのが「中間子」だった。

[9] 初田氏らが明らかにしたのは、原子核の「斥力芯」の存在。つまり、陽子や中性子が近づくと斥力（反発する力）が発生し、離れていると引力（引き合う力）が発生することを示したのである。これにより、湯川の中間子論では説明できなかった、適当な大きさで原子核が安定に存在できる理由が明らかになった。関心のある方は以下の記事を参照してほしい。「理研・初田哲男博士、原子核物理学について語る。『その瞬間は、手が震えました』」（academist Journal）。

さが太陽ぐらいの「中性子星」という密度の高い星の研究をおこなっています。私たちの銀河系の中で、すでに中性子星が二〇〇〇個以上見つかっていますが、こういう星が、どれくらいの重さになったら潰れてブラックホールになるのか、どこまでなら耐《た》えられるのか、という謎があります。つまり、宇宙の中で物質はなぜ安定に存在するか、という問題ですね。[10] 実は、この研究には、われわれがおこなってきた核力《かくりょく》の研究が大きな役割を果たしています。

私自身は、これまで浮世離《うきよばな》れした原子核や宇宙の研究をおこなってきたせいか、「あなたの研究って役に立つんですか?」ということを聞かれたことはほとんどありません。なので、少し偏《かたよ》った立場になるかもしれませんが、お話をさせていただこうと思っています。

知識は唯《ゆい》一《いつ》、使えば使うほど増える資源である

そもそも「役に立つ」とはどういうことかといったとき、それぞれの立場によって

意味が違うということが一つのポイントになると思います。「役に立つ」と言うときに、お互《たが》いがその言葉によって何を意味しているのかを理解しないまま議論すると、まったくのすれ違いになるでしょう。

たとえば、私がおこなっているような基礎研究の場合、「自分の研究が、ほかの科学研究の役に立つか」というのが、「役に立つ／立たない」の主なポイントになります。でも、産業界に身を置く立場の方から見れば、「産業振興《しんこう》に役に立つか／立たないか」が、気候変動のような社会問題について考えている方であれば、「地球温暖《おんだん》化の解決に役に立つか／立たないか」がポイントになるはずです。あるいは、もっと文化的な立場から見るなら、「われわれの視野の拡大に役立つか／立たないか」という考え方もあるでしょうね。つまり、宇宙が一三八億年前に始まり、そのときにビッグバン[11]と

[10] この共同研究については、理化学研究所のプレスリリース「クォークから中性子星の構造解明へ道筋」（二〇一三年九月一四日）を参照。

[11] 宇宙の生成時、約百数十億年前に起こったとされる最初の大爆発のこと。一九四八年、アメリカの理論物理学者、ガモフらによって提唱された。

いうものが起こったという事実が、いまを生きるわれわれの物事の見方を相対化する、ということがあります。そういう意味での「視野の拡大」です。

このように、「役に立つ」といってもいろいろな意味があると思います。

ただ、すべてに共通する点が一つだけあります。それは、研究をし、知識を蓄《たくわ》えていくということが、非常に重要だということです。この一点だけは、いま私が述べた四つの点すべての「役に立つ」と言えるのです。

なぜかというと、知識というのは、ほかのものと違って、使えば使うほど増えていく財産であり、資源であるからです。この言葉を誰が最初に言ったかは、諸説《しょせつ》あってよくわからないのですが、今回監訳した『「役に立たない」科学が役に立つ』の中にも現れています。

物理学が生物学の「役に立つ」？

「自分の研究が、ほかの科学研究の役に立つか」という点について、私自身の研究から具体例をあげてみましょう。物理学、とくに原子核や宇宙の研究が、じつは生物学の役に立ったというお話です。

ある日、理化学研究所でたまたま生物学の研究者の方々と話をしていたときに、こんな話を聞きました。ゼブラフィッシュという魚――これはほかの魚であってもかまわないのですが――その魚の目の網膜《もうまく》を見てみると、赤、緑、青、紫外線《しがいせん》の四原色を感知する四種類の錐体細胞《すいたいさいぼう》があって、それが非常にきれいな、規則的なモザイクパターンをつくっているというのですね。そして、生物学者の話によれば、このパターンを形成するメカニズムというのは一九世紀以来の問題であり、よくわかっていないのだそうです。

でも、われわれ物理学者がそれを見たときに、「あれ？ これって統計力学《とうけいりきがく》という分野の理論手法が使えるんじゃないか？」とひらめくわけです。そこから共同研究が始まったのですが、実際にそのような理論手法が応用できることがわかりました。[12] そして、いったんメカニズムが明らかになると、このパターンにはどんな優《すぐ》れた機能があるのか、このパターンを利用すれば高性能のデジタルカメラができるんじゃないかなど、さまざまなかたちで応用の道が想像され、まさに「網《あみ》の目《め》」が広がっていったのです。

このように、ある研究分野での成果が、別の研究分野に影響を与えるということが、確かにあります。私自身、この数年のあいだにそのことをたくさん体験し、その可能性を強く感じています。このように、科学の発展においては、違う分野間でのインタラクション（相互作用）というものが非常に大事になってくるわけです。

基礎研究の本質は「ゼロイチ」

ここからは、基礎研究の意義についてお話しさせていただきます。研究には「基礎研究」と「応用研究」――さらにもう一つ「開発研究」[13]という言い方もありますが――基本的にはこの二つがあります。

教科書的な定義としては、原理の追究と普遍《ふへん》性の探究、それが両方合わさったものが「基礎研究」になります。つまり、〇《ゼロ》から一《イチ》を目指すのが基礎研究です。一方の「応用研究」は、ある原理がわかったときに、その可能性をどうやって広げていくか、という点を追究するものですから、一から一〇〇や一〇〇〇の話になります。

ちなみに、物理学の場合ですと、原理の追究は「縦《たて》糸《いと》」、普遍性の探究は「横糸」といわれます。縦糸である原理の追究とは、たとえば、究極の素粒子《そりゅうし》は何かと問うような研究です。普遍性の探究とは、統計力学のように、構成要素がなんであれ、それらがたくさん集まったときに一般的に成立するような理論体系の探究を指します。いずれにせよ、これら縦糸と横糸があわさったものが基礎研究なのです。

12 この共同研究については、理化学研究所のプレスリリース「魚類網膜のモザイク形成過程を数理モデルで再現」（二〇一七年九月二七日）を参照。

13 用語の分類については、文科省も定義を公表している（「民間企業の研究活動に関する調査－用語の解説」）。「基礎研究」と「応用研究」については本文で解説するが、「開発研究」とは、基礎研究、応用研究および実際の経験から得られた知識を利用し、新しい材料や装置、製品、システム、工程等を導入すること、またはこれらの改良を狙いとする研究開発のことをいう。

科学者にとっての四つの「常識」

さらに、日常的に研究をしている科学者にとっての「常識」のようなものがあります。これは科学者であれば誰でもうなずけることだと思いますが、必ずしも一般的によく知られているわけではないので、これを機にご紹介しておきましょう。

一、科学の発展は循環的である
二、基礎研究は波及《はきゅう》効果が大きい
三、基礎研究には長期的視点が必要である
四、基礎研究は多様性が本質的である

まず、科学の発展は「循環的」なものです。科学は、基礎研究だけによって発展するわけではありません。さまざまな応用研究に刺激《しげき》を受けたり、応用研究で得られた新しい技術を用いたりすることで新たな基礎研究が生まれ、またそれが新たな応用研究を生み……というふうに、循環的に起こっていくのが科学の発展の流れです。しかも、物理学の歴史を見ると、それは一本の流れではなく、何本もの流れが複雑に絡《から》み合いながら進歩してきたことがわかります。

次に、基礎研究の特徴としてその大きな「波及効果」をあげることができます。あとで具体例を示しますが、マクスウェル[14]の電磁気学《でんじき》とかアインシュタイン[15]の相対性《そうたい》理論とかディラック[16]の量子《りょうし》力学とか、そういうものは非常に大きな波及効果を持つのです。

それから、基礎研究には「長期的視点」がどうしても必要です。これについてはあとで、ヒッグス粒子を例に出して説明しましょう。

[14] ジェームズ・クラーク・マクスウェル（一八三一〜一八七九年）：イギリスの理論物理学者。ファラデーによる電磁場理論をもとに、古典電磁気学を確立した。

[15] アルベルト・アインシュタイン（一八七九〜一九五五年）：ドイツ生まれの理論物理学者。特殊相対性理論および一般相対性理論などを提唱した業績で知られる。一九二一年のノーベル物理学賞を受賞。

[16] ポール・エイドリアン・モーリス・ディラック（一九〇二〜一九八四年）：イギリスの理論物理学者。量子力学および量子電磁気学の分野で多くの貢献をした。一九三三年にシュレーディンガーとともにノーベル物理学賞を受賞。

そして、ここが重要なのですが、基礎研究にとっては「多様性」が本質的であるということです。少数の天才、物理学でいえばマクスウェルやアインシュタインやディラックのような人たちだけが研究を発展させてきたような気がするかもしれません。分野外から見たときにはなおさらそう思えるかもしれません。

でも、実際にはさまざまな研究があって、その中で、時代背景やそのときどきの環境などにあと押しされて、独創《どくそう》的な研究というのが生まれてきたのです。つまり、誰か一人の天才を見つけ出し、その人に全財産を投資すればうまくいく、ということではまったくないのです。

その意味では、「選択」して「集中」するという発想は、そもそも基礎研究とは相容《あいい》れない概念《がいねん》です。この点はきわめて重要なことだと思います。でも、この常識がいま、科学者以外の方々には残念ながら共有されていないのかもしれません。

ディラック方程式の波及力

ポール・ディラック
© Cambridge University, Cavendish Laboratory/ Wikimedia Commons

「波及効果」という点で、一つ実例をあげましょう。

先ほど名前を出しましたが、ディラックという二〇世紀を生きた物理学者がいます。彼はアインシュタインの特殊相対性理論と、ミクロな世界の物理学を支配する量子力学を統合し、「相対論的量子力学」を打ち立てました。

一九二八年、彼は一つの方程式（ディラック方程式）を数学的な美しさから書きくだしたのですが、じつは、この方程式を解いてみると、その解の中に「反物質《はんぶっしつ》」の存在が予言されていたのです。それまでは物質しか知られていなかったのに、反物質もある、ということがそこには示されていたのです。

実際、ディラックの予言からたった四年後に、「電子《でんし》」という物質以外に「陽《よう》電子」という反物質が、二七年後に、「陽子」という物質以外に「反陽子」という反物質が発見されて、それぞれノーベル物理学賞が授与《じゅよ》されています。[17]

最近では、理化学研究所と東京大学の成果として、反物質同士、つまり反陽子と陽電子を結合させて「反水素原子」をつくり、それを長時間保管することも可能になりました。このように、いまや反物質を実験室である程度操作できるようにまでなっているのです。[18]

一方で、ディラックの方程式は思いもよらない応用にもつながりました。二〇〇七年の「トポロジカル絶縁体《ぜつえんたい》」という物質の発見です。これは、内部は電気を流さない絶縁体なのですが、表面だけは電気を流す金属として振る舞うという、非常に不思議な物質です。この発見は、これまでの「エレクトロニクス」という概念から進んだ「スピントロニクス」という概念や、最近話題の「量子コンピュータ」など、現代的な応用にもつながっています。[19]

このように、基礎研究における基本的な発見というのは、常に基礎・応用の両方への波及効果が大きいものなのです。

ヒッグス論文の引用回数

ピーター・ヒッグス
Photo by Hans G/
flickr (CC BY-SA 2.0)

もう一つ、長期的視点が重要である、という点についても具体例をあげましょう。

一九六四年、ヒッグス[20]という物理学者が「ヒッグス機《き》構《こう》」という理論をつくり、「ヒッグス粒子」の存在を予言

[17] より厳密に言うと、ディラックは、物質を構成する電子や陽子などの「粒子」には、その粒子と同じ質量を持つが、電荷は逆の「反粒子」が必ず存在すると予言した。そして、粒子としての「陽電子」の存在は、一九三二年、アメリカの物理学者、アンダーソンの宇宙線研究において発見・実証された。

[18] 反水素原子は、陽子の反粒子である「反陽子」と電子の反粒子である「陽電子」が結合したもので、反物質世界の代表格。この反水素原子と水素原子の性質をくわしく調べることで、反物質の世界が私たちの住んでいる宇宙とどのように違うか、あるいはどのように同じかを明らかにすることができる。詳しくは理化学研究所のプレスリリース「基底状態の冷反水素原子の閉じ込め時間、一〇〇〇秒以上に！」（二〇一一年六月六日）を参照。

[19] 電子は電荷と磁石、両方の性質を持つ。電荷のみの性質を利用したのが「エレクトロニクス」だが、電荷と磁石の性質の両方を応用した分野を「スピントロニクス」という。これにより大容量かつ省電力なハードディスクドライブや、電源を切ってもデータを保持できるようなメモリが実現されている。「トポロジカル絶縁体」に関しては理化学研究所からさまざまなプレスリリースが出されているので、興味のある方は検索してみてほしい。

[20] ピーター・ウェア・ヒッグス（一九二九年〜）：イギリスの理論物理学者。二〇一三年にノーベル物理学賞受賞。

しました。[21]みなさんも、名前くらいは聞いたことがあるかもしれません。

三八ページの図をごらんください。縦軸は、ヒッグスの論文が毎年どれくらい引用されたのかを表しています。一九六四年から見ていただくとおわかりのとおり、最初はほとんど引用されていないのですね。つまり彼の研究は、当初は誰も、気にも留めなかったということです。

ヒッグスの考え方のルーツには、金属の超伝導《ちょうでんどう》現象というものがあり、これが発見されたのは一九一一年のことです。オンネスという人が水銀《すいぎん》を極低温《きょくていおん》まで冷却《れいきゃく》することで実験的に発見した現象なのですが、[22]それが目に見えない素粒子の重さの起源に関係しているというのが、「ヒッグス機構」のポイントの一つでした。こうして一九六四年、先ほどのヒッグスの論文が発表され、それからおよそ五〇年後の二〇一二年に、ヒッグス粒子が欧州《おうしゅう》原子核研究機構（CERN《セルン》）の大型ハドロン衝突《しょうとつ》型加速器（LHC）の実験でようやく観測されます。そのことが二〇一三年のノーベル賞につながるわけです。

では、このヒッグスの理論は何に応用できるのでしょうか。ヒッグス粒子によりモノの重さが自由にコントロールできるようになったらうれしいのですが、それができるとしたらきっとずっと先のことでしょう。百年先か千年先かもわかりません。

しかし、基礎科学の根本を築くというのは、そもそもそういう営みなのです。長い目で見ないといけないのです。最初の数年、数十年で論文の引用回数がまったくないからといって、その理論はナンセンスなのかといえば、そんなことはまったくない。ヒッグスのように、五〇年後に真に革命的な理論として認知されるようなことだってあるのです。

ヒッグスの例は極端な場合かもしれませんが、とにかく、科学においてはこういうことが起こるのだということを、みなさんにはお伝えしておきたいのです。

[21] 力学においては、物体の性質として「位置」や「速度」と並んで最も基本的な量のことを「質量」という。質量が発生する仕組みは、数多くの物理学者を悩ませてきた謎だった。一九六四年、そこに一つの解決案をもたらしたのがヒッグスである。彼の理論（仮説）はのちに「ヒッグス機構」と呼ばれた。「ヒッグス粒子」は、その理論体系の中で予言される素粒子のことである。

[22]「超伝導」は、物質の温度を極低温まで冷やしたときに電気抵抗がゼロになり、電流が永遠に流れつづける現象のこと。一九一一年、ヘリウムの液化に初めて成功したオランダの物理学者、カマリン・オンネスが発見した（一九一三年にノーベル物理学賞）。

▷ヒッグス論文の引用回数の推移

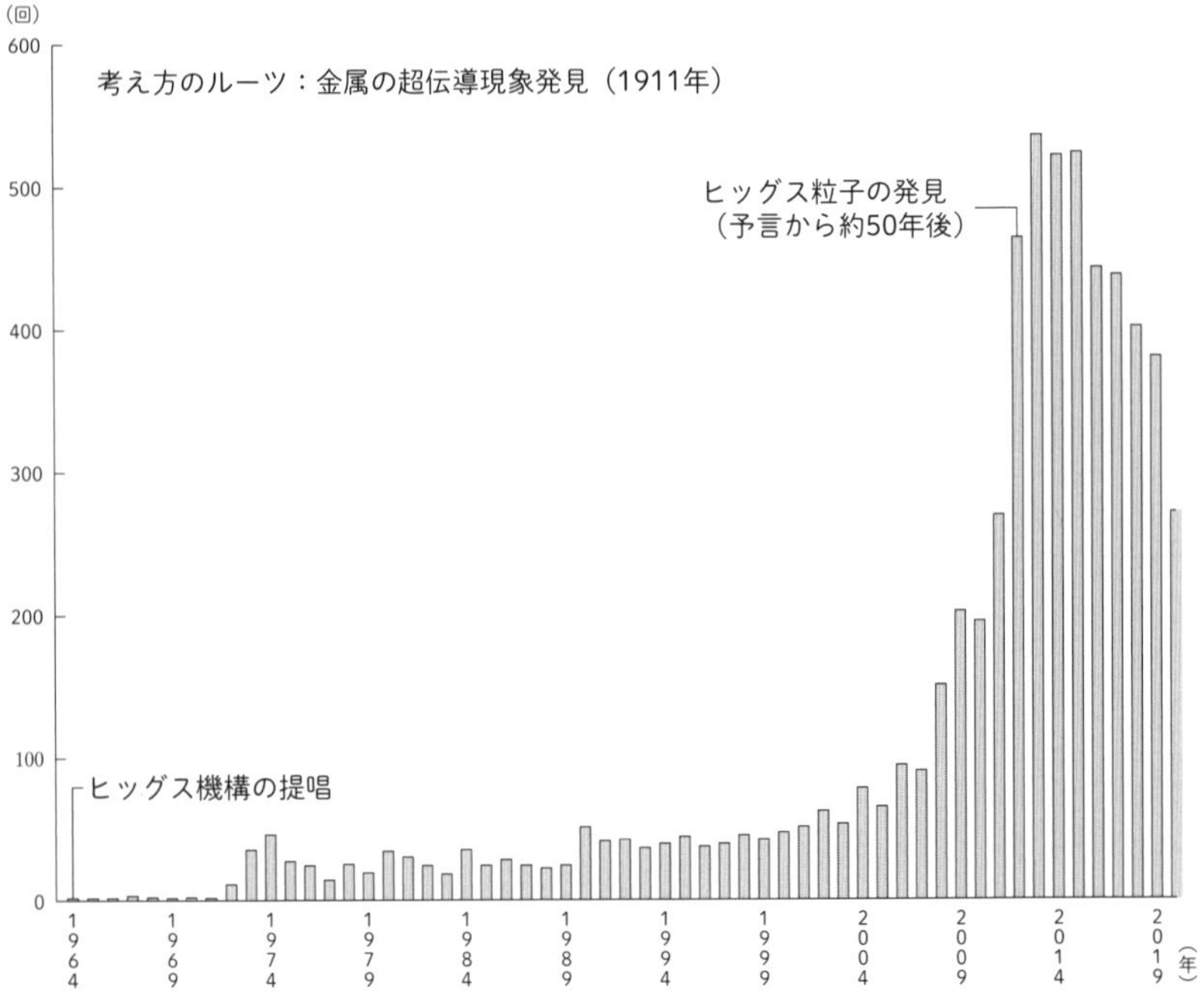

INSPIRE (http://inspirehep.net/)で調べた以下の論文の引用回数をもとに作成
Peter W. Higgs, Broken Symmetries and the Masses of Gauge Bosons, *Physical Review Letters*, Volume 13, Number 16, Published 19 October 1964

「役に立たない」知識の有用性

私は、いろいろな方に「役に立つ／立たない」という表面的な論争だけではなく、科学の本質について知ってほしいと考えてきました。

そのとき、たまたまプリンストン高等研究所の創設者、エイブラハム・フレクスナー[23]と、現所長、ロベルト・ダイクラーフ[24]らの書いたエッセイの存在を知り、翻訳《ほんやく》することにしました。これが今回のシンポジウムの主題となっています。

プリンストン高等研究所というのは、アインシュタインも所属していた研究所で、基礎科学の研究に取り組んでいます。設立は一九三〇年、英語ではInstitute for Advanced Study、通称ＩＡＳと呼ばれています。

[23] エイブラハム・フレクスナー（一八六六～一九五九年）：アメリカの教育家。プリンストン高等研究所の構想と発展に携わり、一九三〇年から三九年まで初代所長を務めた。医学の訓練と実践を含むアメリカ教育改革における重要人物でもあった。

[24] ロベルト・ダイクラーフ（一九六〇年～）：オランダの数理物理学者で、プリンストン高等研究所の現所長（二〇一二年～）。弦理論と科学教育の進歩に大きく貢献。芸術と科学における公共政策に関する優れた顧問であり唱導者でもある。

創設者のフレクスナーは、一九三九年に *The Usefulness of Useless Knowledge*（役に立たない知識の有用性）と題したエッセイを書いておりまして、そこでまさしく、「有用性」とは何か、つまり「役に立つ」とはどういうことかについて、非常にはっきりした言葉で議論を展開したのです。

そして、フレクスナーが展開した議論は、現在でも有用だろうと思った現所長で数理物理学者のダイクラーフが、自分のエッセイをそこに付け加えて、二〇一七年に英語の本を出版しました。それを邦訳《ほうやく》したものが、『「役に立たない」科学が役に立つ』です。原書と違って、カバーには「ノアの箱舟《はこぶね》」のイラストを使用しました。これは「多様性が大事なんだよ」「未来への投資が大事なんだよ」ということを暗に示したかったからです。ダイクラーフさんも気に入ってくれているようでよかったです（笑）。

「有用性という言葉を捨てて、人間の精神を解放せよ」

ＩＡＳの創設者であるフレクスナーは、二〇世紀初頭のアメリカにおいて、医学教育を根本的に変革した人です。その変革の過程の中で、彼はこんな言葉を残しています。エッセイから引用しましょう。

エイブラハム・フレクスナー
© Photographer unknown. From the Shelby White and Leon Levy Archives Center, Institute for Advanced Study, Princeton, NJ, USA

私は、研究室でおこなわれるすべてのことが、いずれ思いがけない形で実用化されるとか、最終的に実用化されることがその正統性の証《あかし》だとか、言っているわけではない。そうではなく、「有用性」という言葉を捨てて、人間の精神を解放せよ、と主張しているのだ。

彼は、教育改革に取り組む中で、そういうことを強く感じていたようです。

もともとＩＡＳは、一九二九年に始まる世界恐慌《きょうこう》の直前に財を成したバンバーガー兄弟からの出資により設立されました。彼らはフレクスナーのビジョンに沿った教育機関を設立するために、五〇〇万ドルを寄付したそうです。[25]
さて、ほかにもフレクスナーはこんなことを言っています。

精神の自由を重んじることは、科学分野であれ、人文学分野であれ、独創性よりはるかに重要である。なぜなら、それは人間どうしのあらゆる相違を受け入れることを意味するからだ。

プリンストン高等研究所は、組織としては、考え得る限りもっともシンプルでもっとも形式にとらわれていない。〔……〕決まりごとはなく、教授、メンバー、ビジターの区別もない。〔……〕こうしてアイデアのある人々は、熟考《じゅっこう》と話し合いに適した環境を享受《きょうじゅ》する。

要するに、好奇心や精神の自由こそが大事である。しかも、形式にとらわれないようにするべきだ、ということですね。

プリンストン高等研究所には、初期のメンバーとしてアインシュタイン、ヘルマン・ワイル[26]、フォン・ノイマン[27]、チューリング[28]（当時は大学院生）など、著名な研究者たちがいました。現在でも世界最先端の研究がおこなわれているのです。

ちなみに、形式にとらわれないということでいえば、物理学者はこの点を非常に重んじております。だからこういう場では、本来であれば「大隅先生」「隠岐先生」とお二人のことを呼ぶべきなのかもしれませんが、われわれは常に「さん」付けで呼ぶことにしておりますので、今日も「大隅さん」「隠岐さん」と呼ばせていただくことをお許しください（笑）。

25 https://www.ias.edu/about/mission-history
26 ヘルマン・クラウス・フーゴー・ワイル（一八八五～一九五五年）：ドイツの数学者。数論を含む純粋数学と理論物理学の双方の分野で多大な業績を残した。
27 ジョン・フォン・ノイマン（一九〇三～一九五七年）：ハンガリー出身、アメリカの数学者。原子爆弾やコンピュータの開発に関与したことでも知られる。
28 アラン・マシスン・チューリング（一九一二～一九五四年）：イギリスの数学者。電子計算機や情報理論の黎明期の研究に貢献した。

「役に立つ」と「役に立たない」の間に境界はない

次に、ＩＡＳの現所長、ダイクラーフについても紹介しましょう。彼はフレクスナーほど極端ではないのですが、エッセイの中でこのように言っています。

ロベルト・ダイクラーフ
© Gabi Porter, Institute for Advanced Study

「役に立つ」知識と「役に立たない」知識との間に、不《ふ》明瞭《めいりょう》で人為的な境界を無理やり引くのはもうやめよう。

それから彼は、基礎研究の特徴について、このようにまとめています。

一、基礎研究はそれ自体が知識を向上させる
二、基礎研究はしばしば予想外のかたちで、新しいツールや技術をもたらす
三、好奇心を原動力とする基礎研究は、世界最高レベルの学者を惹《ひ》きつける

四、基礎研究によって得られる知識の大半は公共の財産となる
五、基礎研究の最も具体的な効果はスタートアップ企業というかたちで現れる

基礎研究がさまざまな広がりを持ち、それ自身知識を向上させ、予想外のかたちで技術革新をもたらす、ということはよく知られていることだと思います。たとえば、「ワールド・ワイド・ウェブ」というのは素粒子物理学の研究所から生まれたものです。[29] 基礎研究は世界最高レベルの学者を惹きつける、得られた知識は公共の財産である、という点も非常に重要に思えますね。

一方で、基礎研究の具体的な効果は、スタートアップ企業として現れる、というのは、どういうことでしょうか。これについては少し説明が必要でしょう。たとえば、

29 ワールド・ワイド・ウェブ（WWW）は、一九八九年、世界最大の素粒子物理学の研究所であるスイスの欧州原子核研究機構（CERN）で誕生した（ヒッグス粒子が発見されたのも同研究所）。当時、CERNには世界中から研究者が集まっていて、実験の規模も装置も大規模になっていた。そこで日々生み出される膨大なデータを共有し、円滑にプロジェクトを進めていくために構想されたのが「オープンプラットフォーム」としてのワールド・ワイド・ウェブだった。

グーグル（Google）の共同創設者であるラリー・ペイジとセルゲイ・ブリンは、もともとスタンフォード大学の大学院生です。彼らはアメリカ国立科学財団（NSF）の資金的なサポート（デジタル・ライブラリー・イニシアティブ）を得て、[30] あのような検索技術を開発しました。

ただし、ダイクラーフさんはこの点に関しては、アメリカの現状を強く憂《うれ》いているようで、次のように書いています。

近年、多くの大学では、産業に直結する研究が重視されるようになり、基礎研究はおろそかになっている。

さらに、「科学者の役割」についても重要なことを言っています。

基礎科学には支援する価値があることを、一般の人々に納得させるのは難しい。〔……〕その目的と価値を伝えるのに最適な立場にあるのは、研究をおこなっている科学者や学者自身だ。

つまり、研究のおもしろさだけでなく、研究の価値であるとか、どのように研究をしているのか、ということを伝えることも、科学者の使命であるということです。

これは、フレクスナーが言ってこなかった新しいポイントです。フレクスナーはむしろ、科学者は仙人《せんにん》のように誰にも触れずに、研究だけに集中するのがいいんだ、という立場をとっていました。

でも、ダイクラーフはそうではない、と主張するのです。ここは興味深いところだと思います。

[30] NSF（National Science Foundation）は、アメリカの科学技術向上を目的とする政府組織の名称で、一九五〇年に設立された。科学や工学に関する研究開発に対して開発費の支援をおこなっている。財団の理事長は大統領から任命され、総計で年間数十億ドルの助成金を支出し、過去に多くのノーベル賞受賞者を輩出している。

基礎研究を支える仕組み

そろそろまとめに入りましょう。

最初に述べた三つ目の論点である「基礎研究を支える仕組み」について。ここでは、基礎研究に対する二つの視点を考えなければいけないと思っています。

一つは知の探究。これは、応用されようがされまいが関係ない。とにかく探究するのだ、という立場です。

もう一つは未来への投資。これは、とりあえず研究を続けてさえいれば、いつかきっと応用されることがあるだろう、という立場です。

これは、のちほど登壇する隠岐さんの著書（『科学アカデミーと「有用な科学」』）にも出てくることなのですが、両者の比重については、じつは一七世紀からすでに議論があったようなのです。

これは私なりのまとめなので間違いがあるかもしれませんが、これまで基礎研究を財政的に支えてきたのは、一七～一八世紀であればパトロン、一九～二〇世紀であれば国や企業だったと思うのですね。

では、二一世紀前半になった現在はどうかというと、科学技術と社会福祉と安全保障など、限られた国家予算の範囲で、パイの奪《うば》い合いをしているような状態になっています。しかも、そうした中で「選択と集中」をやっているために、科学の本質である「多様性」や自由な発想といったものが、危機に陥《おちい》っているわけです。

そういう意味では、われわれは二一世紀後半に向けて、基礎研究を支える財政基盤というものを、なんらかのかたちでつくっていかなければいけなくなっている、と言えるでしょう。

ここから先は第二部の座談会で議論させていただきたいのですが、アカデミストがおこなっているようなクラウドファンディングというのは、市民とアカデミアがともに進化するという意味では「共進化《きょうしんか》」と言えると思います。同じように、アカデミアと企業がどういうふうに「共進化」できるのか、あるいは、科学者自身がどのように「自立」していけるのか、という点も大事でしょう。そういった点に関して、今日はぜひみなさんの意見をうかがいたいと思っています。

最後に、参考図書として以下の本をあげさせていただきます。もし興味があったら見てみてください。

【参考図書】

・隠岐さや香『科学アカデミーと「有用な科学」』（名古屋大学出版会）
・藤垣裕子《ふじがきゆうこ》『科学者の社会的責任』（岩波科学ライブラリー）
・豊田長康《とよだながやす》『科学立国の危機』（東洋経済新報社）

「選択と集中」は「ゼロイチ」と両立しない

柴藤　初田さん、ありがとうございました。参加者の方から「『選択と集中』が科学と相容れないということが、政治家に理解されない理由は何か」というコメントをいただいています。これまでのご経験から感じられていることがあれば、お答えいただけますか。

初田　科学の発展というのは循環的で、波及効果が大きくて、長期的視点が必要で、多様性が本質的である、というこの四点が、やっぱり重要だと思うのですね。

すでに出ているいくつかの芽の中から一つを取り上げて、伸びそうなものをさらに伸ばすという意味では、「選択と集中」でもいいのです。けれども、これから芽を生み出そうと、つまり〇を一にしようというときには、「選択と集中」というのは本来使えない手法なんですよ。そこが混同されているのだと思います。

結局のところ、科学者がやっている基礎研究というものが、本質的には理解されていない。それに尽きるのでしょう。そこは、ダイクラーフが言うように、科学者自らがもっと発信する必要があるのではないか、と思います。

一方で、日本の特徴として、行政機関や企業のトップに、科学の素養《そよう》がある人、あるいは科学者だったという人が少ないということがあります。科学の本質をきちんと理解している人たちが、科学政策の立案や意思決定に関わることが、非常に大事になってくると思います。

柴藤　ありがとうございます。それでは続きまして、大隅さんから発表をいただきたいと思います。

2

大隅良典▼▼
すべては好奇心から始まる
――〝ごみ溜め〟から生まれたノーベル賞

大隅良典 おおすみ よしのり
東京工業大学 科学技術創成研究院
細胞制御工学研究センター 特任教授
一九四五年、福岡生まれ。東京工業大学科学技術創成研究院細胞制御工学研究センター特任教授・栄誉教授。大隅基礎科学創成財団理事長。東京大学大学院理学系研究科博士課程単位取得後退学。理学博士。自然科学研究機構基礎生物学研究所教授、東京工業大学フロンティア研究機構特任教授を経て、現職。専門は分子細胞生物学。「オートファジーの仕組みの解明」により二〇一六年のノーベル生理学・医学賞を受賞。

大隅　今日はよろしくお願いします。先ほどの初田さんのお話には大変共感するところがあるんですけれども、私は日本にいる者として、日本という国のいまの特性みたいなものを、もう少し深めるためのお話をしてみたいと思います。

日本人は「科学技術」という言葉を誤解している

私は、いまの日本の状況においては、「基礎科学は役に立つんですよ」と主張するような立場には身を置かないようにしたいと思っています。というのは、日本の一つの大きな問題として、「科学（サイエンス）」と「技術（テクノロジー）」が区別されず、「科学技術」という言葉で括《くく》られてしまっていることがあるからです。

多くの人は、それが行政の人間であったとしても、「科学」は「技術」の基礎なんだ、という理解をしてしまっています。つまり、基礎科学は技術のためにあるのだという考えを持っている。これは非常に大きな問題だと思います。

初田さんが言われたように、「科学」というものは、原理や普遍性や法則性を「発見」

する過程です。一方の「技術」とは、「発明」という言葉に代表されるものです。この二つには、じつは大変大きな違いがあるんだということを、もう少しわかっていただく必要がある。そういうことを、私はありとあらゆるところで申し上げてきたつもりです。ただ、もちろん、科学の進歩は技術に支えられていますし、技術の進歩も科学に支えられているということはありますから、二つの関係が密接であるということも、一つの事実ではあります。

こういった背景があるために、日本においては「役に立つ」ということが、そのまま「産業の役に立つこと」や「生活が便利になること」というように、非常に狭い範囲で理解されてしまっているのです。だからこそ、いまの日本では「役に立つ」という言葉がものすごく氾濫《はんらん》しているし、私はそのことが、あらゆる意味で社会を窮屈《きゅうくつ》にしてしまっているのだと思っています。具体的な議論はのちほどしたいので、ここではいくつかの例を言わせていただきましょう。

「役に立つ」が目的の研究は、つまらない

　ある学生が、自分の研究を始めるとします。卒業研究でもいいし、修士《しゅうし》の研究でもいいです。すると、親に「あんた、何やってるの？」と言われます。たいていの学生は、必ず言われます。「それって何かの役に立つの？」って。それで、なかなか答えられないということがあるのです。その一方で、この社会には、就職活動をする学生の多くが「役に立ちたいです」というようなことを口にする。そんな現状もあります。だけど、「そもそも『役に立つ』っていったいなんだろう？」というと、ほとんどの人が、じつはよくわかっていません。よく考えないままに、この言葉を使っているのですね。

　別の例をあげましょう。いま、研究者が研究費を獲得するために、申請書《しんせい》に「この研究は役に立ちます」ということを安易に書かないといけないという事態が横行《おうこう》しています。たとえば、ある生化学者がある種のタンパク質を研究しているとして、自分が研究しているその素材を使ったらがんを治せるかもしれません、というような作文

——ほとんどなんの意味もないような作文——を延々《えんえん》、何年も書きつづけることを強《し》いられているのです。

こうした現状は、研究者にとても悪い影響を与えていますし、若い人たちにも悪い影響を与えています。みんな、それが当たり前なんだというふうに、だんだん思うようになってしまうからです。

私は二〇一七年に財団を設立しました。[31] この財団は、基礎科学の発展、そして基礎研究に打ち込む研究者たちの支援を目的としたものです。助成金《じょせいきん》を出す際には必ず申請書を出してもらうのですが、「基礎研究」に絞《しぼ》って書いてください、という旨《むね》の募集をかけています。[32]

31 公益財団法人 大隅基礎科学創成財団。性急な成果を求める風潮の中で、基礎研究がおろそかにされ、研究者マインドが低下し、次世代の研究者が育たなくなりつつある現状を打破することを目的に、二〇一七年八月九日設立。事業の柱は主に二つあり、一つ目は「生物学及び周辺分野における〔……〕基礎研究の助成」、二つ目は「研究者と社会との新たな連携を構築する事業」。研究助成の募集は年度ごとにおこなわれている。くわしくは財団のホームページを参照(https://www.ofsf.or.jp)。

32 大隅財団の公募テーマには「基礎科学(一般)」と「基礎科学(酵母)」の二つがある。たとえば後者の場合、「新しい生理現象の発見やその分子機構の解明等、人類と深い関わりのある酵母を対象としたこの生物種ならではの基礎研究」を支援するというように、あらかじめ「テーマ」を絞った募集がなされている。

するとみなさん、若者ほどそうなのですが、出口が明確でない研究課題を提案することがとっても苦手なんですね。なので、申請書も貧弱《ひんじゃく》なものが多く、あまりおもしろくありません。そのくらい、なんとなく「役に立つ」ことをしないといけない、という空気が蔓延《まんえん》しているのだと思います。

地方大学を見ても、最近では研究費が本当にないので、地元の産業に結びついた研究をしなさい、という大号令が出ています。地方大学の研究者が基礎研究をしようとすると、非常に肩身《かたみ》が狭い思いをする。そんな状況もあるわけです。

だからこそ私は、科学、つまり人間の知を拡《ひろ》げる活動というのは、「文化」として捉《とら》えたほうがいいんだ、ということをいろいろな場で発言することにしています。

たとえば、芸術とかスポーツですばらしいパフォーマンスを目にしたとき、われわれは感動しますよね。その感動というのは、決して「役に立った」という言葉で測られるものではないはずです。科学の達成というのも、そういう意味で測られていく側面が必要なのだと思っています。これについては第二部でも議論をしましょう。

人がやっていることはやりたくなかった

ここからは私自身の話もさせていただきます。もう三十数年になりますが、私は「オートファジー」[33]という、細胞の中で起こる分解過程の研究を続けてきました。オートファジーというのは一九六〇年代にはすでに見出されていた現象なのですが、そのメカニズムを解明するための「手がかり」はずっと得られていませんでした。

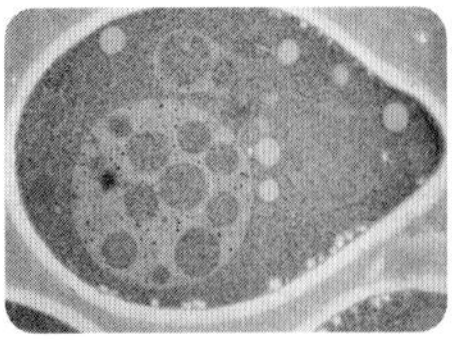

そもそも、どうして私はオートファジーの研究を始めたのでしょうか。右の画像を見てください。これは酵母の切片図です。この丸くて白い部分が、「液《えき》胞《ほう》」というコンパートメント(区画)です。

[33] ギリシャ語でオートは「自分」、ファジーは「食べる」の意。一九六三年、ベルギーの生化学者、クリスチャン・ド・デューブが命名した。オートファジーは当初、「飢餓状態に陥った細胞が、自らの一部を分解し栄養に変える仕組み」と考えられていたが、現在ではこの「自食」作用に加え、細胞内の「浄化」や「防御」の役割を持つこと、さらには真核生物(細胞核を有する生物)に共通する生命現象であることがわかっている。

液胞という言葉は、中学校の教科書で植物細胞と動物細胞の違いとして習うものなので、みなさんも知っていると思います。だけど、「じゃあ、なんで植物は液胞を持っているんだろう?」ということを考える作業はあまりしませんよね。「知っている」ことと「わかる」ことのあいだには、ずいぶん大きな違いがあるわけです。

実際、液胞というのは、膜《まく》の中になんの構造も持たないことから、当時は「細胞のごみ溜《た》め」くらいにしか思われていませんでした。あまり研究の対象にはなっていなかったのです。「人が寄ってたかってやることをやりたくない」というのが私の信条《しんじょう》だったので、液胞はきっと「おもしろい」に違いないと思い、研究のテーマに選びました。

それから一〇年くらい液胞の研究をしていたのですが、一九八八年、液胞がタンパク質の分解に関わっているのではないか、ということを思いつきました。それが「オートファジー」の研究を始めるきっかけとなりました。

そういえば、私は当時、東大の教養《きょうよう》学部で生物の授業を担当していたのですが、最初の授業のときに、「細胞の中で赤血球《せっけっきゅう》が一秒間に何個合成されるか計算してください」という課題を出しました。

計算はいとも簡単。五分くらい時間を与えればできてしまうのですが、赤血球は一秒間に私たちの身体の中で三×一〇の六乗、つまり三〇〇万個も合成されているのですね。酸素《さんそ》を運ぶ役割を持つヘモグロビンであれば、一×一〇の一五乗個です。

この計算から授業を始めたのは、じつは生命というものは、「合成」と「分解」という非常に動的な平衡《へいこう》[34]として存在していること、だから分解というのは合成と同じくらい重要な過程なんだということを、理解したうえで生物学を学んでほしかったからなのです。[35]

[34] 動的平衡：互いに逆向きの過程が同じ速度で進行することにより、システム全体としては見かけ上、反応が停止した状態（平衡）に見えることをいう。

[35] 私たちは日々七〇～八〇グラムのタンパク質を摂取し、それをアミノ酸に分解している。一方、人間の体内では毎日二〇〇～三〇〇グラムのタンパク質が合成されている。つまり、食べた分だけではアミノ酸は足りず、その不足分は身体の中にあるタンパク質が分解されることで合成されるのである。ここからも、分解が生命を支える大事な働きであることがわかる。

オートファジーと歩んだ三〇年

さて、オートファジー研究のきっかけになったのは、飢餓《きが》状態に置いた酵母《こうぼ》細胞を観察することを思いついたときでした。当時、酵母は外界の窒素《ちっそ》が不足したときに、減数分裂《げんすうぶんれつ》を起こすことが知られていました。であれば、人為《じんい》的に飢餓状態にしてしまえば、酵母細胞は自分自身を分解しないといけなくなり、何か劇的な変化が起こるのではないか、と考えたのです。

私は、あえて液胞内にタンパク質の分解酵素を持たない変異株《へんいかぶ》を使ってみることにしました。そのときにとっても、私にとってはとっても「おもしろい現象」が観察できたのです。

酵母細胞を栄養源のない培地《ばいち》に移して三時間ほど経《た》ったころでしょうか。液胞の中で、球状の構造体が激しく動きまわっているのが見えました。たくさんの構造がみるみる溜まっていくのです。この瞬間《しゅんかん》が、その後の私の研究の方向性を決めました。いまだに、なんでこんなことが起こるのだろうかと、完全には解き尽くせない謎を研究しています。

このとき私が観察した現象は、すでに知られていたオートファジー現象とまったく同じでした。[36] つまり、細胞の中で、細胞内の成分の一部を取り囲むような二重の膜が形成され、その被膜《ひまく》構造が液胞と融合《ゆうごう》し、内側の膜構造が中に放り込まれることで分解されていったのです。これは本当に良いモデルとなってくれました。

現象を観察できたら、あとは当然、メカニズムを解き明かすことが生物学者としての次の課題となってきます。遺伝《いでん》学的な解析《かいせき》の結果、私たちは合計一八個の遺伝子を解明しました。ついに「手がかり」がつかめたのです。

いざ遺伝子がわかると、オートファジー研究のフィールドは一気に近代生物学の領域に入ってきます。ありとあらゆる系で、オートファジーがさまざまな働きをしていることがわかってきました。私がオートファジーの研究を始めたのは一九八八年です

36 ド・デューブは一九五五年、動物細胞の中に「リソソーム」というタンパク質を分解するための酵素が詰まった袋を発見した。細胞の中の成分の一部を膜で取り囲み、それにリソソームが融合し、分解酵素がいきわたることで自己成分を分解・利用する——これがすでに知られていた現象だった。

が、当時は年に二〇本くらいしか論文が出ないような領域でした。それがいまや一年間に一万本に迫《せま》る勢いで論文が出るようになっています。

私からすれば、流《は》行《や》りの研究はやらないと言っていたのに、その領域がいまや大きな流行りになってしまっている、ということになります。六五ページの図が示しているとおり、オートファジーの研究は、酵母で遺伝子が解明されて以来順調に進んできたわけですけど、それでもいまのようなピークを迎えるのに一〇年、二〇年という歳《さい》月《げつ》が必要だったということです。[37]

自分の研究を振り返ってみて思うことは、これが将来、がん医療の「役に立つ」に違いないとか、アルツハイマー病のような神経性疾患や感染症のメカニズムを解明するのに「役に立つ」だろうとか、そういうことを思って始めたわけではないということです。細胞の中で起きている分解のメカニズムを知りたいという、ただの好奇心からスタートした研究だったということです。そして、本当に小さな現象の発見が、その研究が発展する契《けい》機《き》になりました。

もちろん、私の場合は、幸運にも三十数年間、自分の興味にもとづいて研究ができ

▷「オートファジー」がキーワードに入っている論文数の推移

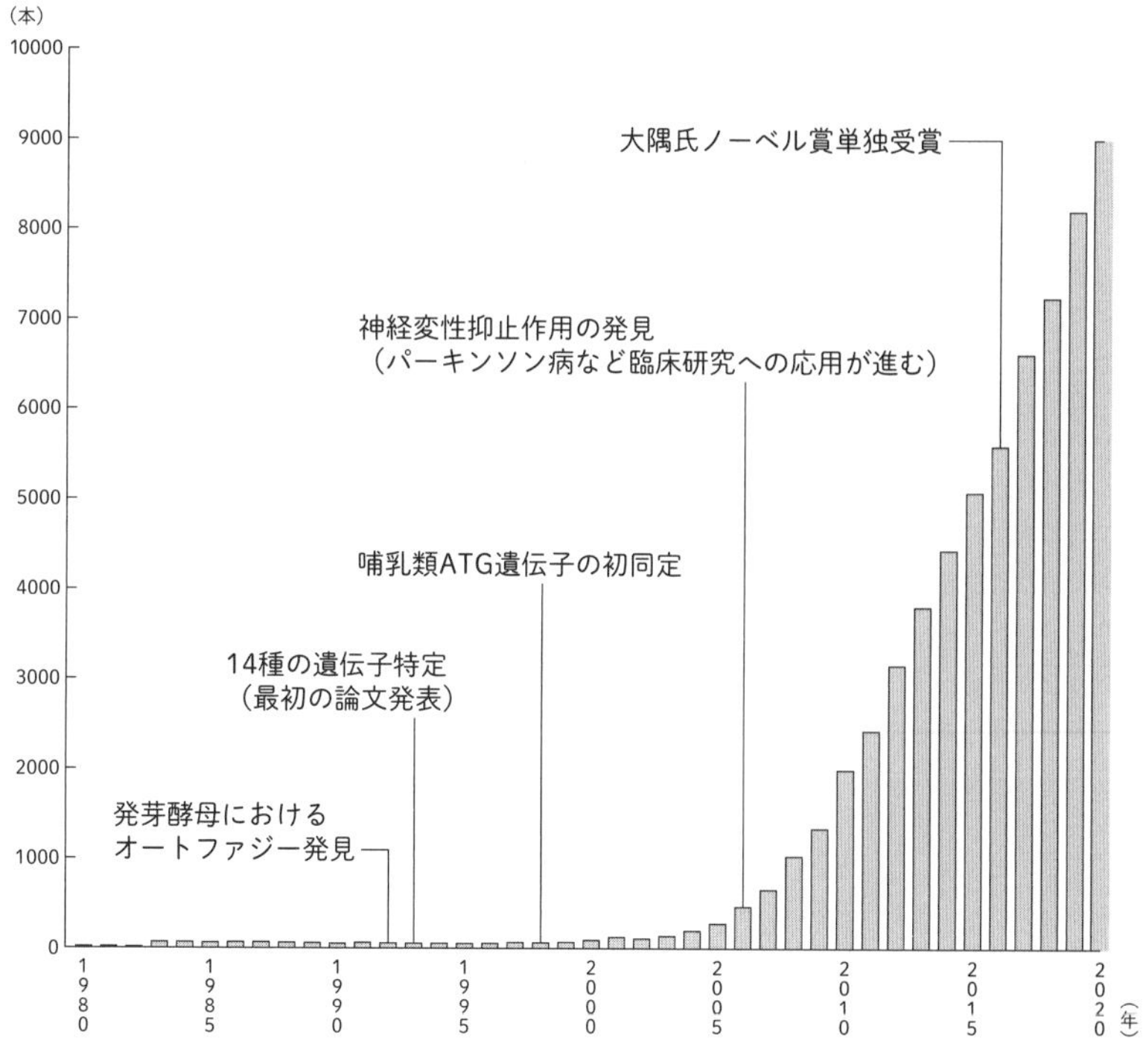

Web of Science search by “autopha*”

たことも非常に重要だったと思っています。というのも、一つの現象を研究しているあいだに、方法論であるとか技術的なこと、たとえば顕微鏡《けんびきょう》技術などがそうですが、ものすごく進歩しましたから。[38] そういうことにも私は支えられたと言えるのです。

生きることのタームが短くなっている

最後に、現代社会が抱える問題について、私なりに考えを述べましょう。

一つは、人間が自然からだんだん離れ、それと接する機会が少なくなってきたために、地球上の一つの生命、一つの生物種にすぎないという謙虚《けんきょ》さが、だんだん薄《うす》れてきているんじゃないか、ということです。これは日本に限りません。

もう一つは、情報が膨大《ぼうだい》にあふれる時代になったことで、その中から自分に合うものを適当に選ぶという作業が得意になる人が増え、逆に、自分の頭で考えることを放《ほう》棄《き》するような社会になってきていないか、ということです。

私はこれらのことを、大変危惧《きぐ》しています。

「選択と集中」に関しても、私にはそれなりの意見がありますけど、とにかく「効率」の良さが科学においても重視されてきていることを痛感します。

しかも、「選択と集中」というターム(期間)においては、一年、二年、あるいは数年先に成果が出るような研究をやらなければいけないことになってしまう。このことが、多くの人を基礎研究から引き離す原因になっていると思います。

関連してもう一つだけ。いま、日本人には、歴史的に物事を見ようとする視点が全体として欠落していて、自分がいま生きているタームから数年先くらいのことしか考えないまま生活するという傾向《けいこう》が非常に強くなってきているのではないでしょうか。そのこともやはり危惧すべきでしょう。

これからの議論の手がかりとして、私から話せることは以上です。

37 大隅氏が最初の論文を発表したのは一九九二年、最初の一四個の遺伝子を同定し、公表したのが翌九三年のことだった。
38 細胞の中にはさまざまな小器官があるが、当時の光学顕微鏡で観察できる程度の大きさを持つ唯一の小器官が「液胞」だった。

「目標」だけが優先される社会

柴藤　ありがとうございました。「結局、お金を出す人が、実利的なリターンを求めてしまっているところに問題があるのではないか」というコメントをいただいています。お金の出し手と研究者との関係は、健全というか、うまくいっているのでしょうか。

大隅　何を「成果」と見るかによると思います。日本の場合、いったん決めた目標は変えられなくて、その目標をどれだけ達成したかということだけが問われる、非常に不思議な社会になっています。目標を超えるようなおもしろい発見があったとしても、それは目標にはなかったことだから、と評価されない。日本の社会では、というよりいまの政治体制の中では、そういうことがとりわけあるように思います。
「目標を何パーセント達成したか」という「成果」の一つの側面だけが強調されるような事態は、大学でも起きています。それがまた、大学をとっても窮屈な場所にしています。では、それをどうしたらいいのか。それに関しては、第二部で議論をさせてください。

柴藤　ほかにも「脱・役に立つ研究というのは誰が率先《そっせん》して体現するのか」「一般の人からすると、研究者の好奇心に納得するのは難しいのではないか」というコメントもいただいています。また座談会でお話しさせてください。それでは、最後に隠岐さんのほうから発表いただければと思います。

3

隠岐さや香▼▼

科学はいつから「役に立つ／立たない」を語り出したのか

隠岐さや香《おき さやか》
名古屋大学大学院 経済学研究科 教授（科学史）

一九七五年、東京生まれ。名古屋大学大学院経済学研究科教授。東京大学大学院総合文化研究科博士課程退学。博士（学術）。広島大学大学院総合科学研究科准教授を経て、現職。専門は科学史。日本学術会議連携会員。著書に『科学アカデミーと「有用な科学」——フォントネルの夢からコンドルセのユートピアへ』（名古屋大学出版会）、『文系と理系はなぜ分かれたのか』（星海社新書）など多数。

隠岐　名古屋大学の隠岐さや香と申します。私は「科学史」の専門家でして、とくに「科学者」という職業がどういうふうにできてきたのか、ということについて調べています。

すでにお二方からすばらしいお話があったので、科学、とくに基礎科学の研究がいかに「役に立とう」という気持ちとは無関係に生まれ、社会に影響を与えていくのか、ということについては、みなさま、もうおわかりかと思います。

私は科学史の専門家として、科学が「役に立つ」とか「役に立たない」とかいう話を、人びとがいつ、どのようにして話してきたのか、ということについて調べたことがあります。なので、私からはそのことについてお話ししたいと考えています。[39]

というのも、私たちの「話し方」というのは、過去の人たちの「話し方」を繰り返しているようなところがあるからです。もちろん、時代の違い、国の違い、文化の違いと、いろいろな違いはありますけれども、いまだけは少し、現代的な関心とは距離をとりながら、昔のことについて考えてみたいと思います。

キケロが説いた「有用性」

キケロ
Photo by Gunnar Bach Pedersen; for that version: Louis le Grand/ Wikimedia Commons

いきなりだいぶ遡《さかのぼ》りますけれども、まずは古代ギリシア・ローマ時代です。

先ほど初田さんが話されていたプリンストン高等研究所の創立者、フレクスナーのバックグラウンドを見てみると、彼はどうやら「古典」について勉強していたようですね。じつは「古典」の中には、「有用性」に関する議論がテーマとしてはけっこう出てくるのです。

ここでいう「有用性」とは、ラテン語ならutilitas（ユティリタス）、フランス語ならutilité（ユティリテ）、英語ならutility（ユティリティ）、usefulness（ユースフルネス）というふうにさまざまに訳されますが、もともとラテン語における修辞《しゅうじ》学[40]、つまり「話し方」の技法における論点（トピカ）の一つらしく、「有用性」という言葉を使って何かを説得す

39 以下の話題をより詳しく知りたい読者は、『科学アカデミーと「有用な科学」』（名古屋大学出版会）を参照してほしい。

るといった場面がよく出てくるのです。言ってしまえばこの言葉は、話し方の「型」というか「パッケージ」の中にあったものと捉えてもいいと思います。

古代の哲学者キケロ（前一〇六～前四三年）が書いたある本によると、utilitasとは「公共的関心」に関わることであるとされています。では、どんなふうにこの言葉は使われているのでしょうか。

何かがutilitasであるというとき、それは「生活に必要である」とか「便利である」という意味よりも広く、「集団生活において振る舞うべき役割をよくわかっていること」という意味で使われることが多かったようです。たとえば、街を美しくすることはその街の繁栄《はんえい》に資する部分があるからutilitasである、というような用例があります。

キケロの時代の「有用性」とは、公共善《こうきょうぜん》（ラテン語bono publico）、すなわち「共同体の繁栄の役に立つ」ことなので、現代の私たちがイメージする「便利」とか「実用的」とは違った意味があったわけです。そういう意味では、日本語の「役に立つ」という言葉は狭い、と言えるのかもしれません。

王や貴族を「説得」するための言葉

時代を少しくだって、一七〜一八世紀の人びとが、自然科学や数学の有用性についてどのように語っていたのかについてもご紹介しましょう。

ベルナール・フォントネル
© Louis Galloche/Wikimedia Commons

一七世紀というのは、自然科学や数学の「アカデミー」[41]が最初に生まれた時代です。国王が、自然科学や数学の才能を持つ人たち[42]（学者savant）を一カ所に集めて、その人たちに生きるのに十分なだけのお金を与えて、研究させるための場所をつくる。そういうことが始まった時代です。

[40] ラテン語のrhetorica（レトリカ）の訳語。修辞法、美辞学ともいう。前四世紀、古代ギリシアの哲学者、アリストテレスの『修辞学』で初めて体系化された。中世に入ると、修辞学は、文法、論理学、音楽、算術、幾何学、天文学とともに「自由七科（リベラルアーツ）」と呼ばれる中等教育の教科目の一つとなった。

[41] 語源は、古代ギリシアのプラトンが紀元前三八五年ごろに設立した学園アカデメイアに由来。広くは高等教育機関や専門教育機関、学会、協会、研究所などを指す。政府によって設立、庇護され、運営される国家的機関を指すこともある。「近代科学」が確立された一七世紀に、自然科学にまつわる知識を交換し、蓄積するためのアカデミーが西欧の主要都市で生まれた。

[42] 「科学者」という言葉が成立するのは一九世紀以降のこと。

フランスの「パリ王立科学アカデミー」[43]が有名な機関の一つですが、このアカデミーは研究所でもあり、かつ学会でもあったため、いまの感覚からすると少し捉えづらいかもしれません。いずれにせよ、研究者がたくさんいる場所でした。

このアカデミーの運営資金は国王の懐《ふところ》から出ていたために、当時の研究者たちは、出資者である国王をなんとか説得しなければいけない面もあったようです。とくにこのころは、自然科学や数学といったものがまだ世間的にもあまり認知されておらず、少なくとも、貴族の長男が喜んで勉強するようなものではありませんでした。むしろ、そういう勉強をしていたら親が止めるような時代だったのです。

そんな時代だからこそ、自然科学や数学にどのような意義があるのか、ということを説得するための文章が書かれました。そこで研究者たちは、先ほども出てきた「有用性」という概念を使って国王や貴族たちに語りかけたわけです。

ここではすべての論点は紹介できませんが、まずフォントネル[44]という人物を紹介しましょう。彼はアカデミーを代表する立場にありました。そして、「数学と自然学への興味の普及が何に役に立つというのだろうか？〔科学〕アカデミーの仕事はいかなる有用性に由来するものであろうか？　これはよくある疑問である……」（パリ王立科学アカデミー『年誌』一六九九年号）という問いを示し、まずは科学の短期的かつ物質的な有用性を説きました。つまり、自然科学や数学によって船がつくれるだとか、正確な地図がつくれるだとか、そういう技術的な応用可能性について話したわけです。それがいちばんわかりやすいですからね。

しかし、フォントネルはやや抽象《ちゅうしょう》的な話もしています。精神的・哲学的な有用性についてです。つまり自然科学は、「適切に考える」ための知性一般を養うことに役に立つのだと、彼は主張するのです。

しかも、興味深いことに彼は、そこには「好奇心をくすぐる以外の何物でもない」

[43] パリ王立科学アカデミーは、ルイ一四世の治世下の一六六六年に設立された。当時のフランスでは、財務総監であるコルベールの指導のもと、絶対主義国家としての体裁が整いつつあった。しかし、科学アカデミーに関していえば、一六九九年の会則制定により選挙による定員制のエリート研究機関として編成されるまでは、アマチュア的でサロンのような雰囲気を残していたとされる。フランス革命期に一時廃止されたが、一七九五年にフランス学士院（フランス国立アカデミー）の一つとして再建された。

[44] ベルナール・ル・ボヴィエ・ド・フォントネル（一六五七〜一七五七年）：フランスの著述家でアカデミー・フランセーズの会員。科学アカデミーの初代終身書記。

おもしろさがあるんだ、ということも語っています。要するにこれは、「単純におもしろいでしょう？」という訴《うった》え方ですね。自然科学や数学のおもしろさをわかってくれる読者がいることを、彼は期待したわけです。この場合に想定される「読者」とは、貴族階級のことですから、貴族であればこういうことに「いいね！」と言ってくれるであろうというマインドセットがあったのだと思います。

事実として、科学の発展のためには、王や貴族からの援助、しかも一代限りでは終わらない、継続的な援助が必要だったわけですから。

「無限の効用」？

ニコラ・ド・コンドルセ
Unidentified painter-apertura.hu/Wikimedia Commons

ただ、フォントネルの主張だけでは不十分なのではないかということで、少し時代が経ったころに、今度はコンドルセ[45]という人物が登場します。彼もアカデミーの代表幹事《かんじ》でした。

彼は理論や数学をものすごく大事にする人でした。自らも数学者だったこともあり、フォントネルが言ったことをまとめたうえで、さらに俯瞰するようなポジションから、「好奇心」以外にも、理論研究にはちゃんと意義があるんだ、と主張したのです。

では、そのメッセージはなんだったかというと、長期的な有用性——彼の言葉を借りるならば「無限の効用」でした。要するに彼は、理論研究とは、「いつ役に立つかはわからないけれども、いつかは役に立つものなんだ」という語り方をしたのです。これは初田さんからご紹介のあった、「波及性」の話に通ずるものだと思います。

ただ、このころはまだロケットも飛んでいないような時代ですから、ニュートンを持ち出しても万有引力がこのように「役に立つ」んだ、みたいなことは言いきれませんでした。なので、彼はホイヘンス[46]という人物が研究していたサイクロイド曲線が振

[45] ニコラ・ド・コンドルセ（一七四三〜一七九四年）：フランスの思想家、数学者。一七六九年、数学の業績によってパリ王立科学アカデミー会員となる。一七八二年にはアカデミー・フランセーズに入会。この間、最年少寄稿者として『百科全書』にも関わる。

り子時計の発明に役立った、という話を持ち出しています。

もちろんコンドルセは、長期的な有用性だけでなく、短期的かつ実利的な有用性についても語っているのですが、ここで重要なのは、こうやっていろいろな科学者が説得のための言葉を考えていく中で、現在、自然科学を擁護《ようご》するときに使われるような話し方の「型」ができあがっていった、ということです。

芸術における「無用の美」

参考までに、科学以外の分野についても触れておきましょう。

一九世紀の終わりごろになると、われわれが生きている時代にだいぶ近づきますから、科学以外の分野においても、どういうふうにその分野を擁護するかという話し方の「型」ができあがっていきます。

テオフィル・ゴーティエ
© Félix Bracquemond/
Wikimedia Commons

たとえば「芸術」の分野では、自然科学とは違う戦略をとっていて、「好奇心」のようなことはあまり言いません。「有用性」ということも、絶対に言わないですね。むしろ、有用性というのは卑《いや》しいという感覚がありました。まあ、言いすぎかもしれないけど、それに近い感覚があるので、むしろ「無用」だからいいんだ、ということが言われました。

さらに言えば、「芸術」においては、無用なものは「美しい」とも言われます。要は、「有用」というといかにも実用的であり、身体を動かす感じがして、醜《みにく》い。世俗的だし、金銭欲にも満ちているのだと。そういう強い意見を出した人たちがいたわけです。たとえば、詩人・作家のテオフィル・ゴーティエ[47]は、「一般的にいって、何かが役に立つとすぐにそれは美しくなくなる」と述べています。

46 クリスティアーン・ホイヘンス（一六二九～一六九五年）：数学、物理学、天文学など広い分野で業績を残したオランダの科学者。「サイクロイド曲線」とは、直線に沿って転がる円の一点が描く軌跡の曲線のこと。ホイヘンスはこの原理をもとに、当時としては画期的な、誤差一日に数分程度の振り子時計を開発した。

47 ピエール・ジュール・テオフィル・ゴーティエ（一八一一～一八七二年）：フランスの詩人・作家。一九世紀初頭のフランスで用いられはじめていた標語「芸術のための芸術」を唱えた人物とされているが、真偽は定かではない。

背景にあったのは、資本主義の発展と、それにともなう階級対立です。言ってしまえば、一九世紀以降の社会というのは、資本家と産業界が強い力を持ち出した時代でした。そうした時代に対して抵抗したいという感覚があったために、「無用の美」を打ち立てる発想が出てきたのです。それは近代的な芸術が成熟し、すぐに金になるわかりやすい商品とは違う美、すなわち芸術としての美という価値観を追求する時代の始まりでもありました。

「役に立つ」は、きわめて政治的な言葉である

これからの議論に先立って言っておきたいのは、「役に立つ」という言葉は、結局のところ、「検証」のための言葉ではないということです。つまり、実際に何が役に立ち、何が役に立たなかったかというのは、調べればなんとでも言えてしまうわけです。人によって見方も違いますから。言って

アレクシ・ド・トクヴィル
© Théodore Chassériau - Versailles/ Wikimedia Commmons

しまえば、「なんでも何かの役に立つ」と言えてしまうかもしれない。
ただ、歴史を見るに、それでも人びとは、「役に立つかどうか」という話をすることをやめられなかった。やめられないのはなぜかというと、それがおそらく「政治的」な言葉、「未来」に関する言葉だからだと私は考えています。「有用性」とはすなわち、未来において「私の○○を認めてほしい」という話をするために持ち出すもの、あるいは「みんなにとって○○は良いことなんだ」と主張するために持ち出されるもの。そういった側面が、この言葉にはどうしてもあるのです。

とくに、民主的な社会においては、このことを念頭に置かなければならないと思います。なぜかというと、西洋の社会ではもう長いこと議論があるのですが、民主的な社会というのは「高尚《こうしょう》な学問（学術）」に対して冷たい、という話があるからです。

これに関してはいろいろな人が話をしていますが、例を一つあげると、一九世紀に生きたトクヴィル[48]という政治思想家がいます。彼はアメリカ社会[49]をつぶさに観察したフランス人で、実際に足も運んでいるのですが、民主制であるアメリカ社会の特徴について論じました。当時の自然科学の中心地は王制の続いたヨーロッパであったことを念頭に、彼の発言を振り返るとおもしろいです。たとえば、次のようなことを言っています（『アメリカのデモクラシー』松本礼二訳、岩波文庫、第二巻〈上〉）。

高等諸学、あるいは諸学の高尚な部分を研究するのに深い思索《しさく》ほど必要なものはない。ところが民主社会の内部ほど深い思索に適さぬところはないのである。

さらに、次のようにも言っています。

ほとんどすべての人が行動する世紀には、だから人は一般に早い頭の回転と皮相《ひそう》な思いつきを過大に評価しがちであり、深淵《しんえん》で時間のかかる精神活動は逆に極度に軽視される。

なんだか身につまされる話ですね。要するに、民主的な社会とトクヴィルの言うところの「高尚な学問（学術）」とのあいだには、かなり緊張感があったわけです。

民主的な社会というのは、誰もが「主人公でありたい」ために、「それにはなんの意味があるの？」「私の人生にどう関わってくるの？」ということを主張し、求め、意識するわけです。それに対して貴族社会（貴族階級がある社会）というのは、自分の生活に関係のないこと（無用であること）を楽しむ余裕のある人たちと、いろいろなことをあきらめて、自分の運命にひたすら従う人たちと、二つに分かれてしまう傾向がありまず。トクヴィルはアメリカ社会を観察することを通じて、そのような分析を展開したのです。

48 アレクシ＝シャルル＝アンリ・クレレル・ド・トクヴィル（一八〇五〜一八五九年）：建国後間もないアメリカ合衆国を旅して（一八三一〜三二年）、『アメリカのデモクラシー（De la Démocratie en Amérique）』を執筆。民主制の本質的機能を分析した。

49 トクヴィルがアメリカを訪れたのは、第七代大統領ジャクソンの時代（任期一八二九〜一八三七年）だった。現在のアメリカ合衆国の起源は、大西洋沿岸に沿って位置する一三植民地にある。一七七五年四月一九日、宗主国であった英国とのあいだでアメリカ独立戦争が勃発。翌一七七六年七月四日、同植民地の代表は「アメリカ独立宣言」を全会一致で採択した。一七八三年には英国からの独立が承認され、戦争は終結した。

トクヴィルの問題提起

重要なのは、トクヴィルの生きた時代は、すでにヨーロッパもアメリカと同じように民主的な社会に向かいつつあった、ということです。そうした潮流の中で、学問はどうしたらいいのか。トクヴィルはこう言いました。

こういう社会においては、学問は滅《ほろ》びるしかないのだ、と。

まあ、彼は「滅びる」とまでは言っていないのですが、民主的な社会においては、科学の実践的な部分しか発展できず、高尚な学問、とくに理論科学のようなものは危機に至りやすいんだ、と主張したわけです。

つまり彼にとっては、どうすればかつて王や貴族が保護したような高尚な学問、あるいは理論的な科学を守れるのか、というのが大きな問題だったのです。

トクヴィルが考えついた解決策の一つは、社会の指導者——それは民主的に選ばれた指導者でもいいのですが——が、かつての王侯貴族の役割を果たすということでした。

王侯貴族はかつて、ある意味では、彼ら自身の「美学」として、すぐには「役に立たない」ものに対してお金を出していました。永遠のためとか、栄光のためとか、そういう名目でお金を出していた。そのおかげでアカデミーも発展したわけです。

そういった歴史的な背景を踏まえて、トクヴィルは同じようなことを誰かがやればいいのだと主張したわけです。そうすることで、実利と切り離された学術や芸術活動の場を確保していくべきなのだ、と。

実際に、西洋の近代国家というのは、そのような主張をベースにつくられてきたところがあります。そうであったはずなんですけれど、二〇世紀以降の社会においては、一九世紀にできていたこれらの仕組みがさまざまな困難に直面し、維持《いじ》するのが難しくなってきています。つまるところ、いま私たちの社会で起きていることは、その流れの中に位置づけられると思うのです。

「エスタブリッシュメント」への憎悪《ぞうお》と「未知」への恐怖

では、どうしてそんなことになったのでしょうか。

トクヴィルが話していたこととも関係があるのですが、民主主義の社会になったことで、かつてよりもいろいろな人が科学や技術、もしくは学問全体や芸術に関われるようになったから、というのが一つの理由としてはあげられるでしょう。

かつ、ある学問に関わる人たちが「専門家集団」をつくりあげたことで、ある種の「階級」のように振る舞う、あるいはそう見えるような状況になってしまったこともあげられます。そうなると当然、社会からの反発というのはやっぱり出てくるわけです。「あの人たちは、どうして私たちのお金（税金）で、私たちの生活に役に立たないことをやっているの？」と。そういう疑念が強くなってしまう。

これが「エスタブリッシュメント（既存体制）」に対する憎《にく》しみであり、いくつかの国で顕著《けんちょ》に見られている問題です。

それからもう一つ、これは二〇世紀後半の社会が抱える固有の問題だと思うのですが、学問的な活動にかかる予算の規模がとにかく大きいのです。歴史上考えられなかったくらいに莫大《ばくだい》な予算が、そこには注《つ》ぎ込まれています。だから、それをどのように正当化するのか、という問題がどうしても出てきます。

さらに、文脈はちょっと違うのですが、二〇世紀半ばに比べると、二一世紀前半の現代というのは、「未来がよくなる」という気持ちを持てない時代です。これには複雑な事情がありますが、とにかく現代は「繁栄の約束」が消滅した時代である、と言えるでしょう。そういった状況で人びとは余裕を失っているわけです。

時間がないので、この三つ目の問題については質問があればお話しします。とにかく、未来が明るく見えない時代というのは、過去を懐《なつ》かしく感じるような時代です。そういう時代においては、当然のことながら「未知の何か」を求める気持ちというのは、出にくくなるでしょう。

「役に立たない」科学の居場所を増やすには

そろそろまとめに入ります。すぐには役に立たない科学のための場所を増やすにはどうすればよいのか。これはなかなか答えを出せる問題ではありません。でも、すでにさまざまな試みはなされていると思いますし、今日もまたいろいろなアイデアが出てくると思っています。

とりあえず、ここで私からお話ししておきたいのは、なるべく多くの人が、学問の短期的な価値、とくに経済的・軍事的な価値だけではなく、長期的な有用性であるとか、有用性という言葉によらない精神的な価値といったものを意識できる状態をつくることの大切さです。これは、単に学者がすばらしい研究成果について社会に向かって話せばいいということではなく、周辺的な状況も関わってくると思います。つまり、真に重要なのは「教育」と「経済」なのです。

教育の中で、長い時間をかけて研究の成果を伝えていくことに加えて、経済状況を改善していく必要がある。やはり、経済的に苦しいとき、人びとの視野は短期的になります。それは行動経済学でも示されているとおりです。世界が平等であると思えないときに、人は自分に関係があるとは思えないものに対して、心など開けません。わからないものに対して、希望など持てません。

なので、すぐには「役に立たない」科学のための場所を増やすには、まず、機会の不平等が過剰《かじょう》でない社会が前提になってくるはずですし、そういう社会を私たちはつくっていかなければならないのだと思います。

もう一つ大事なことがあります。これもすでに多くの取り組みがありますけれども、市民の一人ひとりを研究者のようにしていくこと、あるいは研究の営みに近づけていくことです。

先に名前の出たコンドルセがフランス革命の時代に言ったことなのですが、人びとが平等になるとどうなるかを考えたときの最終形態、つまり理想形とは、社会のほぼ全員が研究者になるか、あるいは研究の良さを評価できるようになる世界でした。途方もない夢に見えるかもしれませんが、その理想を捨てずに追求していくことも、大事ではないでしょうか。

ただ、そのためには、学問自体の領域がいまよりも広がり、変化していかなければならないでしょう。つまり、学問自体がいまあるものだけではなく、もっといろいろな人の多様な関心を吸い込んだものになっていく必要がある。そうなることで、別の可能性が開けていくはずです。

それにじつは、すでにその一端《いったん》は見えてきていると私は思っています。たとえば「シチズン・サイエンス」の取り組みは近年増えてきています。また、「当事者研究」のように、障害があるとかマイノリティであるとか、そうした自分の個人的な状態そのものを研究対象にするような取り組みも活発になっています。こういったこれまでにない学問のやり方を考えていくことも、大事ではないでしょうか。[50]

「持続可能」は希望が持てないことの裏返し？

柴藤　ありがとうございました。やはり多かったのが、最後に出てきた「繁栄の約束」に関する質問です。この点についてご説明いただけますか。

隠岐　「繁栄の約束」が消滅したという話は、イノベーション政策の文脈から私が理解していることです。二〇世紀半ばごろというのは、どの国にも「高度経済成長」という夢がありましたよね。実際に、経済政策の方向性も、GDP（国内総生産）を増やすことに向いていました。ケインズら[51]がGDPというわかりやすい指標をつくり、国家はそれを増やすためのいろいろな措置《そち》をとりました。そして、その効果が実際に表れることで、人びとは夢を持てたわけです。たとえば、移動手段が豊かになるだとか、家電の種類が増えるだとか、科学の成果が身近に感じられた時代です。科学の恩恵と市民生活との距離は、いまよりも近かったと言えます。

しかし、二〇世紀後半になるとその流れは一段落し、わかりやすい変化はなくなり

[50]「シチズン・サイエンス」とは、専門家や科学者ではない一般の人びとによっておこなわれる科学研究のこと。「当事者研究」は、北海道浦河町の「べてるの家」に集う精神疾患を抱えた当事者らの活動から生まれた、自助と自治のためのアプローチ。いずれも「専門家ではない市民」が活動の担い手であることが特徴。

[51]ジョン・メイナード・ケインズ（一八八三〜一九四六年）：イギリスの経済学者。著書『雇用・利子および貨幣の一般理論』（一九三六年）を出発点に、マクロ経済学の基礎を築いた。

ます。一方で、地球環境の危機が叫《さけ》ばれ出し、どうにもならない不平等や経済格差が拡大していきました。こうした問題も、結局のところは、それまでの経済政策と関わりがあったわけですけども……。とにかく、経済成長を目標に進んできた先に、誰もが「未来の夢」を描けないような状況がやってきてしまったわけです。

不平等や格差の拡大に関しては、私は専門家ではないのですが、今世紀初頭から各国が目標にしてきた「知識基盤社会[52]」という社会のあり方が関わっています。そうした社会では、少数の知識と技能を持つ人たちがすごい発明をして、会社をつくって、巨額《きょがく》のお金を儲《もう》ける一方で、ほかの人は仕事を失うということが起こりやすい。そんな経済構造ができてしまうのです。

その中で、とくに先進国の中間層の生活レベルが低下し、未来に希望が持てないどころか「リスク」を考えなければいけなくなってきている。地球の環境には限りがあり、未来は成長どころか縮小《しゅくしょう》していくしかない――のかもしれない。そんな気持ちが蔓延しています。

「持続可能[53]」という言葉が近年叫ばれていますが、これもかつてのような直線的な成長ではなく、いまの状態を維持していこうという感覚の広まりを表しているのではないでしょうか。そうなるともう、かつてを知る人であればあるほど、「やっぱり昔はよかったな……」という気持ちになりやすいわけです。いま言ったようなことを含めて「繁栄の約束」が消滅した、と発言しました。ただもちろん、これも一つの考え方ではあるので、別の考え方もできるとは思っています。

柴藤　ありがとうございました。第一部では、初田さん、大隅さん、隠岐さんにお話をいただきました。たくさんの論点をいただきましたので、第二部では座談会というかたちで、より議論を掘り下げていきたいと思います。

[52] 「知識基盤社会（knowledge-based society）」とは、新しい知識・情報・技術が、社会のあらゆる領域での活動基盤として飛躍的に重要性を増す社会のこと。二〇〇五年の中央教育審議会答申「我が国の高等教育の将来像」で示された。二〇一四年末、日本の教育業界は「アクティブ・ラーニング」（自ら課題を発見し、その解決に向けて主体的・協働的に学ぶこと）へと舵を切ったが、背景にはこうした社会認識が存在した。

[53] 二〇一五年九月の国連サミットで決められた国際社会共通の目標「SDGs（エスディージーズ）」にも象徴される言葉。「SDGs」とは「Sustainable Development Goals（持続可能な開発目標）」の略。

第二部

これからの基礎研究の話をしよう

——ディスカッション編

柴藤　今回は、事前に参加者の方から登壇するお三方への質問を募《つの》ってみたところ、一〇〇件以上のコメントをいただきました。第二部ではこれらのコメントとあわせてディスカッションを進めていけたらと思います。

その際、三つのテーマを設けさせていただきます。一つ目は「選択と集中」について、二つ目は「アウトリーチ活動」について、三つ目は「これからの基礎研究」について、です。まずは、第一部の中で何度も出てきた「選択と集中」というテーマを皮切りに議論を進めていきましょう。

1

「選択と集中」は何をもたらしたのか

柴藤　私どものほうで三つほどコメントをピックアップさせていただいています。まずはごらんください。

- 「選択と集中」が科学に有用だとすれば、どのような事例がありますか。
- 「選択と集中」は公的研究において「説明責任」が強く求められた結果だと思います。基礎研究において、説明責任をどのように捉えて付き合っていくとよいでしょうか。
- 競争的資金と国立大学の運営費交付金は、どのようなバランスが最適でしょうか。

まずは一つ目のコメントから始めていきたいのですが、何かご意見はありますでしょうか。

ベーシックな予算なくして「選択と集中」はありえない

大隅　「選択と集中」というのは、限られた投資からいかに成果を得られるか、という発想からきている言葉です。いま日本で起きている「選択と集中」と科学に関する問題から言えば、ある課題に選択的かつ集中的に投資をしたら、その分野が一定期間にものすごく発展するということは、もう間違いないことだと思います。

ただ、それがずっと続くわけではない、ということも事実です。

日本でいちばん問題なのは、「選択と集中」という言葉によって本当に大事なベースの部分の研究、つまり、基礎研究ができなくなりつつある、ということですね。

これが、私がいま抱いている大変大きな危機感です。

柴藤　「選択と集中」された分だけ、その分野以外の研究テーマにお金がいきにくくなるということでしょうか。

大隅　ええ。なので、かつてのように薄く、一定程度の研究費が保証されているということなしには、「選択と集中」というのはありえないのではないかと思っています。

今回のコロナウイルスのような事態を考えても、そもそもウイルスの研究者って、ウイルスの研究をしていたいと思っても、そのための研究費がないんですよ。細菌感染だってそう。細菌についてちゃんと研究しようとしている人たちは研究費が取れていないから、どうしてもヒトではなく動物の感染症の研究をやらないといけなくなる。結果、感染症の大事な問題がなかなか解けない、という事態に陥っています。

そういうベーシックで大事な領域をどのように守っていくかということが、「選択と集中」ということが語られるときに、大変大きな問題になってくるのだと思います。

研究者にとって「運営費交付金」は最低限の生活費

初田　いまの予算の問題というのは、三つ目のコメントにある「競争的資金」と国立大学の「運営費交付金」の話とも関係してくると思うのです。

「選択と集中」というのは、競争的な資金でやる部分には適用できるかもしれないという気はします。それは、ある程度すでに芽が出ていて、それをさらに伸ばしていこう、というふうに方向性が決まってきたところでやるべきでしょう。逆に言えば、〇を一にするという研究に「選択と集中」を適用するというのは、定義からしてありえないのです。〇から一が生まれるときというのは、どこで芽が出てくるかはまだわからないわけですから、広く多様性のあるサポートをしないといけない。

われわれ研究者は、運営費交付金のことをよく「生活費」というんですけれども、それは研究者が、自分の好奇心のおもむくままに研究をおこなうのに最低限必要な資金なのです。そのような研究をおこなえる日々があって、そのうえで初めて、「選択と集中」をするという可能性がようやく出てくる。ここ十数年は、そのバランスが崩れていると言えますね。これは非常に大きな問題だと思います。

1 COVID-19（新型コロナウイルス感染症）：二〇一九年一二月にその存在が確認され、翌年一月三〇日にはWHO（世界保健機関）が「国際的に懸念される公衆衛生上の緊急事態（PHEIC）」を宣言。三月一一日には世界的大流行（パンデミック）とした。

それから、私の専門は物理学なので、ビッグサイエンス[2]のことにも触れたいと思います。ビッグサイエンスとしては、たとえば宇宙科学や加速器科学関連の研究があります。そういう領域の基礎研究というのは規模が非常に大きいので、国際協力が必要になってくるし、一国が支出する資金も莫大になります。場合によっては、いま本当にその研究をやるべきかどうかを精査《せいさ》し、最終的には政治的な決断も必要になります。第一部でも述べたことですが、そういう科学政策の決定の場に、科学者がきちんと入らないといけない。そうしないと、「選択と集中」をやろうとしたところで、結局のところ、まともな判断なんてできないのではないでしょうか。

日本の行政機関でよく見かけるのは、「海外ではこんなに進んでいる、なのに日本では遅れている、だから集中的にお金を投資しなきゃいけない」という謎の論理です。これって、まだ誰も知らない真理を発見しようと努力している科学者からすると理解不可能な論理です。このような意味でも、科学者、あるいは科学とは何かを理解している人が科学政策の策定に関与することが大事だと思います。

国家戦略とマネジメントの話を混同してはいけない

隠岐　私も思ったことがあるので、よろしいでしょうか。これまでのお話にもありましたけど、やっぱり、目的がはっきりしている状況においては、「選択と集中」というのは非常に活きてくるのだと思います。とくに、技術開発や応用研究などではその強みが出やすいのかな、と思います。

歴史的な例として一つ思いつくのは、ソビエト連邦[3]が原子爆弾を非常に速い速度で開発したことです。[4]二〇世紀前半のソ連に先進的な科学研究があったわけではないのですが、彼らは莫大なお金をアカデミーに対して投下したのです。だからこそ、ソ連

2　文字どおり「巨大科学」の意。核融合科学、宇宙科学、加速器科学など、巨額の資金と膨大な人材を要する大規模な科学研究を指す。多くの研究が国家的または国際的な規模になる。

3　正式名称はソビエト社会主義共和国連邦。一九一七年のロシア革命（十月革命）によって現在のロシアの地につくられた、アジアとヨーロッパにまたがる世界最大の多民族国家。正式には一九二二年に成立し、一九九一年まで存在した。

4　一九四五年に初めての核実験が実施されて以降、冷戦期にはアメリカとソ連を中心に約二〇〇〇回の核実験がおこなわれた。一九四九年八月、スターリン独裁下のソ連は初の核爆発実験に成功し、米ソの核兵器開発競争は激化した。

のアカデミーは当時最先端の研究機関となり、驚異的な成長を果たすことができた。なので、「選択と集中」といったときにはまず、そういうパターンがあります。

それから、もう一つ思い出したのは、アメリカの大学における「選択と集中」の事例です。そもそも「選択と集中」ということが言われ出したのは、国家政策というより、個別の大学経営の文脈だったと記憶しています。[5] 一九八〇年代から九〇年代にかけての「大学個性化」という文脈において、大学のマネジメントを担う経営者たちが、どの分野にお金を注ぎ込むべきかを考えていたわけです。

いま、私はまったく異なる文脈から二つの例を出しましたけれど、要するに「選択と集中」というのは、目的が明白な場合の国家戦略と個々のマネジメント戦略、つまり戦略によって組織をいかに個性化していくかという話の、どちらかにおいてよく出てくる言葉だったと言えます。それが現在では文脈を問わずに混ぜて用いられるようになった結果、なんだかおかしな状況になっているのではないでしょうか。

なので、この二つを分けて考えながら、どういう事例が過去、本当に「有用」だったのかを、私たちは認識しなければならないのだと思います。

科学者の自立と、市民が科学者になっていくこと

柴藤　ありがとうございます。参加者の方からもコメントがたくさんきております。

まず、文科省や財務省も、実際のところ、大隅さんや初田さんのおっしゃることは理解している一方で、科学者が意思決定の中枢《ちゅうすう》に入ることによって、むしろ科学的な意思決定ができなくなるという構造的な問題があるのではないか、という意見がありました。

それから、これは初田さんに対するご質問です。研究のための資金を集める際に「有用性」を示さなくてはならないのが現状ですが、研究者の理想としては、やはり「有用性」ではなく「おもしろさ」に訴えることなのでしょうか。

5　「選択と集中」という言葉は、二〇世紀末にアメリカのゼネラル・エレクトリック（GE）の最高経営責任者ウェルチが提唱したものだと思われているが、彼が言ったのは「フォーカス」であり、そこに事業を「絞る」という意味はなかった。しかし日本では、バブル経済が崩壊した一九九〇年代後半以降に「経営改革」のキーワードとして「選択と集中」が注目を集めるようになった。

初田　分野によってだいぶ違ってくると思うのですが、第一部でも申し上げたとおり、私自身はあまり「その研究は役に立ちますか?」と聞かれたことってないのです。自分の研究費を申請するときも、「五年後にこんなことができます」というようなことに重点を置いて書いたことはありません。むしろ、その研究の「おもしろさ」を前面に出してきたつもりです。

ただ、そういうことが可能なのは、学術振《しん》興《こう》会[6]の科学研究費のように、科学的な意味での「おもしろさ」をきちっと判断してくれる現役の科学者が審《しん》査《さ》する側にいる場合でしょう。私自身は、これまでそういう環境で生きてきました。

ただ、その環境に頼っているだけでは基礎研究を支えるには十分でないと思いはじめています。研究のための「生活費」が削られ、競争的資金の比重が大きくなっている現状では、「役に立つ」ストーリーの入った書類作成と、費用対効果に重点を置いた報告書の作成に膨大な時間をとられることになる。この話題は三つ目のディスカッションテーマ（「これからの基礎研究」）とも関係してくると思うのですが、国からの資金に頼らずに研究者を財政的に支える別の仕組みを、二一世紀後半に向けて考えていかなければいけないのだと思います。

これは、基礎研究に関わる科学者がいかに「自立」できるかという話ですが、そのためには、第一部で隠岐さんがおっしゃっていたような「市民みんなが科学者になる」ということも重要になってくると思います。

企業の意識が変わりつつある

大隅　私くらいの世代の研究者が育った時代（一九六〇～七〇年代）というのは、基礎科学は国が支えるものだと固く信じていられた時代でした。しかしいまや、国からはいびつなかたちでしか研究費が配られないという現実があります。その中で基礎研究をど

6　正式名称は日本学術振興会（Japan Society for the Promotion of Science）。一九三二年に創設。学術の振興を図ることを目的とする日本唯一の独立した資金配分機関として、学術研究の助成、研究者の養成、学術に関する国際交流の促進、大学改革や大学のグローバル化の支援など多岐にわたる事業を展開している。

うやって守っていくかといういまのお話は、大変大きな問題です。

海外の大学を見ていると、アメリカの場合は公立（州立）大学ですら、もはや公的資金で運営されているわけではありません。[7] アメリカの多くの大学がそうなっていますし、マックス・プランクのようなドイツの研究機関[8]にもかなりの民間資金が入っていると聞きます。

しかし、日本では国立というと、基本的には国からのお金ですべてをまかなわないといけない状況になってしまっている。この風潮はどこかで打破《だは》しないといけないでしょう。そうでないと、結局のところ、研究者にとっての本当の意味での「自由」というのは確保できません。私自身、そういうシステムづくりができないだろうかと夢見ながら、財団をつくったりしているわけです。

一方で、社会のほうに目をやると、いま、状況は大きく変わってきているようにも思えます。じつは、これまで日本の基礎科学というのは、国だけでなく企業が支えてきた部分がありました。しかしその後、基礎科学はもうやらないと、大半の企業が基礎科学の研究者を「切った」という歴史があるのです。

しかし、最近はその揺《ゆ》り戻しが起きています。つまり、グローバル化が進み、企業がその中で生き延びることを考えたとき、たった数年先のことを考えていてもしょうがないという意識がとっても強くなってきていて、もう一度、原点回帰してみようと考える企業が出てきているのです。

だから、そういう意味では、基礎科学に対して強い興味を持った企業は増えているし、興味を持たないといけないという意識も生まれています。これは、これまでにはなかった変化だと思いますね。

柴藤　アカデミストも日ごろさまざまな企業からお声がけをいただいておりまして、

[7] 牟田泰三氏によれば、アメリカの大学は州立大学と私立大学に分かれる（以下、広大フォーラム三二期一号に掲載の論考「米国州立大学にみる独法化の姿」を参照）。私立大は、財源を州政府に依存せず、研究資金としては国（連邦政府）のグラント（研究補助金）を得ている。それ以外の運営資金は、授業料等収入や民間資金などからまかなわれる。州立大は、かつては州政府機関の一部に位置づけられており、運営資金は州政府から支出され、逆に授業料等収入は州政府に納められていた。しかし、一九九〇年代に「改革」がおこなわれ、州立大の経営は大幅に自由化され、財源も多様化した。

[8] マックス・プランク研究所は、マックス・プランク協会（ＭＰＧ）が運営する、世界トップクラスの学術研究機関。前身のカイザー・ヴィルヘルム協会時代も含めてノーベル賞受賞者を多数輩出している。

こういう分野の研究者と会いたいとか、こういうテーマに関心があるとか、そういう声は確かに増えてきています。大隅さんがいまおっしゃったことは、実感としてもあります。

日常を伝えることも、一つの説明責任

柴藤　二つ目のコメントにある「説明責任」の話はどうでしょうか。公的な税金を使っているのだから、「説明責任」も強く求められるべきだ、という声は確かにあります。そもそも基礎研究における説明責任とはいったいどういうもので、研究者はそれとどのように付き合っていくのがよいとお考えでしょうか。

初田　うーん……、この「説明責任」という言葉の意味を、私はあまり十分には理解できていないのですけれども、とくに基礎研究に関して言えば、当然ながら、そんなにすぐに結果が出るものではないですよね。「五年でこれだけ結果が出ました」と、

もちろん見せられるならうれしいのですが、必ずしもそんなことを目指してやっているわけではないですし、予想もしていなかったことが生まれてくるような、その「芽」を私たちは一生懸命に研究しているわけですから。

でも、この「説明責任」を逆手《さかて》にとって、研究者の日常を伝えるのがいいのかもしれませんね。朝起きてから夜寝るまで研究のことばかり考えている、というのが研究者ですから、そういう人たちの「日常」を伝えることも、説明責任を果たすことになるのではないでしょうか。

先ほどコメント欄《らん》を見たときに「働き方改革」という言葉が目に入ってきました。研究者としては、九時から一七時のあいだだけ働いて、あとは研究しないなんてことは現実にはありえません。プレスリリースを通じた研究成果の発信だけでなく、研究者が日常的におこなっている研究活動の様子を研究者自身で、あるいはメディアとの共同でおこなっていく必要があるかと思います。

前者については、大阪大学の橋本幸士《はしもとこうじ》さん（素粒子論の研究者）をはじめとして、さまざまな活動をされる研究者が徐々《じょじょ》に増えています。後者については、私たち数理創造プログラムでは、ジャーナリスト・イン・レジデンスという活動に参加し、科学ジャーナリストの方々に、研究室に短期あるいは長期に滞在してもらい、研究者の日常を観察してもらうということを始めています。

目標設定が低くなるという悪循環

大隅 第一部で申し上げたことと関係しますが、日本で言うところの「説明責任」は、目標設定を低くすることに寄与《きよ》しているという変な状況にあると考えています。

いまの大学というのは、掲《かか》げた目標を達成しなかった場合に「お咎《とが》め」をくらう場になっていますから、達成可能な「低い目標」をいかに掲げるかというおかしな話になってしまっているのです。

これは、本来のサイエンスとはまったく相容れない思想ですよね。そういう考えでやっている限り、「説明責任」という発想は、基礎研究のあり方をひどく歪《ゆが》めつづけると思います。

さらに言えば、いまの大学は、ある目標を掲げたときに、それを何パーセント達成したか、という点でしか研究者を評価できなくなっています。目標からそれた部分やそれ以外のところでものすごくおもしろい発見があったときに、それを評価するための軸がないわけです。こうした風潮は、研究というものを評価するうえで、とってもネガティブな要因になっていると私は感じております。

「説明」が必要なものと、必要でないものとの違いとは

隠岐　一言いいでしょうか。第一部でお話しさせていただいたとおりですが、民主的な社会において、「説明責任」というのは絶対に欠かせないものである、と私は思っています。つまり、説明しないというのはまずいのです。

しかし、一方でいま大隅さんがおっしゃったように、説明責任と基礎科学とでは、相性の悪い部分がどうしてもある、というのも事実かと思います。

そこで、では「説明責任」をどう捉えればいいのか、という話になってくるのです

が、完全に合理的に、つまりエビデンス・ベースで説明すれば、みんながみんな納得できるのかというと、そうでない部分もあると思うのです。私はむしろ、そこがポイントだと思っています。

要は、社会には「説明がなくても成り立っているもの」がけっこうあるんですよ。たとえば、日本の地方に行くと、その土地ならではのお祭りがあって、それを地元のみんなが大事にしている、ということがよくあります。じゃあ、そのお祭りの価値ってどこにあるのかといえば、誰もその「説明責任」を果たしていないはずなのです。それなのに、若い子たちも混じって、たのしんでやっているという状態がある。これは、感情的な親和性、つまりアタッチメント（愛着）が強く形成されているということです。説明しなくてもみんなが参加し、お金を出すような状況になっているわけです。

逆に言えば、「責任説明」が問題になるときというのは、他者に対して、それが自分とどう関係するのかを示してほしい、それによってお金を出すことについて納得したい、という気持ちが混じっているときなのだと思います。権力者に税金を徴収《ちょうしゅう》されるときだって、なぜこの私がこんな負担を負わされるのか、ということをきっと知りたいですよね。説明責任の問題には、ある種そういった側面があるのだと思います。

なので、私が思うのは、役割として、形式的な説明責任はちゃんと果たしたほうがいいということです。たとえば、どれだけお金を使うのか、それでどういう研究ができるのか。そのうえで不必要な説明は減らしていく。そんな方向を目指したらいいのではないでしょうか。絶対に何かの「役に立つ」、みたいな嘘《うそ》をついて目標を設定するだとか、そういうことも減らしていくべきでしょう。

そうやっていくときに必要になるのが、言い方はちょっと悪いのですが、「感情的なアプローチ」なんだと思います。つまり、先ほど初田さんがおっしゃったような、科学者や研究者の生き方、日常を見てもらうことです。科学を身近に感じられるものにしていくことで、社会全体の学問観を広げていく。「説明責任」との付き合い方に関しては、私はそういうふうに思っています。

内にこもったフレクスナー、外に出たアインシュタイン

初田　いま隠岐さんが話してくださったこととの関連でいうと、私が監訳した本にも出てくるフレクスナーは相当な理想主義者でして、研究者が仙人のように閉じこもって研究することで初めて成果は生まれる、だから研究者は外部の雑音にさらされるべきではない、というようなことを言っているのです。

一つ、こんなおもしろいエピソードがあります。一九三三年、ルーズベルト大統領[9]がプリンストン高等研究所宛にアインシュタインを晩《ばん》餐《さん》会に招待するための手紙を出したらしいのですね。でも、所長のフレクスナーは、アインシュタインに手紙を見せずに、「彼は研究に集中しないといけないから参加できません」と勝手に返信してしまったそうなんですよ。それを知ったアインシュタインは、それからは必ず手紙は自分でチェックするようにしたらしい（笑）。

要するに、アインシュタインというのは、フレクスナーとは対照的で、いろんな場所に出かけ、よくしゃべり、社会と関わるということに対して、かなり自覚的だった

ようなのです。これは、科学と社会の関わりという観点からは、総じて良い影響を与えたような気がします。

アインシュタインのような突出した科学者だけに任せるのではなく、科学や科学者というものを知ってもらうための活動を、多数の現役科学者がもっとやったほうがいい。「アウトリーチ活動」の一環《いっかん》として、自分の研究はこんなにおもしろいんだ、と熱く語ることも大事だけども、もう少し肩の力の抜けた別のスタイルがあってもいい気はしますね。

柴藤　ありがとうございました。隠岐さんと初田さんがおっしゃったように、研究者が研究の魅力を語る以外に、研究者という存在そのものをもっと近く思ってもらうことで果たせる「説明責任」があるのかもしれません。そしてそれが「選択と集中」か

9 フランクリン・デラノ・ルーズベルト（一八八二〜一九四五年）：民主党出身、第三二代アメリカ合衆国大統領（任期一九三三〜一九四五年）。一九三九年には、レオ・シラード（アメリカのユダヤ系物理学者）とアインシュタインからの書簡をきっかけに、原子爆弾の開発計画である「マンハッタン計画」を推進した。

らの脱却にもつながるのかもしれません。「アウトリーチ活動」の話が出たところで、
ここからは二つ目のディスカッションテーマに進んでいきたいと思います。

2

研究者にとって「アウトリーチ活動」とは何か

柴藤　「アウトリーチ活動」[10]に関しても、事前に多くのコメントをいただいています。ここではこの二つのコメントを取り上げたいと思います。

・一見「役に立たない」科学の魅力を、非専門家に伝えるにはどうしたらよいのでしょうか。
・知と論理を重視する価値観が広まることが、民主主義社会の成熟に必要と考えています。知の価値ではなく知の営みの価値の発信は、十分になされていると思いますか。

最初の非専門家の方に研究の魅力を伝えるという点についてですが、すでにさまざまな取り組みを、さまざまな立場の方がなされていると思います。最近ではYouTuberのように研究内容を動画で伝えることもあるかもしれませんし、ウェブで記事を公開するとか、プレスリリースを出すというアプローチもあるでしょう。お三方からも、これまでの取り組みやご経験があれば、共有いただきたいと思います。

科学者だけで考えないことが大事

初田　いわゆる「アウトリーチ活動」は、大学のような高等教育機関でも、研究機関でも、すでにやっていることだと思います。それぞれに重要な活動をやっている。そう思う一方で、それがちょっと独《ひと》りよがりになっている部分もあるような気が最近はしています。

では、その状態を脱却するためにはどうすればいいのか。やっぱり研究者ですから、当然、自分の研究成果を知ってほしいという気持ちはありますよね。しかも、それを「正しく」知ってほしいと。だからこそ、一生懸命にプレスリリースを出したり、公開講座などで伝えたりするわけです。

[10] アウトリーチ（Outreach）は「手を伸ばすこと」を意味する言葉。科学分野においては、研究者や研究機関がその成果を国民に周知する活動を指す。政府から補助金を受ける研究の場合は、義務としてアウトリーチ活動が課される場合もある。

でもじつは、そういうアプローチでリーチできる人というのは、もうすでに科学に興味がある人なんですよね。私自身、そのことが実感としてわかってきました。もちろん、すでに興味のある人たちに科学のこと、科学者のことを伝えるのは大事です。でも、無関心層の方々にも、自分と直接の関わりはないけど、科学者がやっていることには意味があるんだなあ、と思ってもらいたい。そこにアウトリーチするためにはどうすればいいのか。それが、これから取り組むべき大きな課題の一つだと思っています。

研究内容そのもののおもしろさを知ってもらうだけでなく、科学者の日常や人間性、基礎研究が拓《ひら》く未来などをバランスよく伝えるという、これまでとはまったく違ったタイプのアウトリーチ活動が必要になってくるでしょう。そのためには、当事者である科学者だけで考えても、なかなかアイデアは生まれません。数理創造プログラムでは、大手広告会社の若手メンバーと連携《れんけい》して、広い方々にどう伝えるか、ということを模索しはじめています。先ほど申し上げたとおり、科学者は閉じこもってしまってはいけない。その発想が重要なのではないかと思っています。

同一化した集団の弱さ

大隅　私自身の話でいうと、子どもたちや若い世代の人たちとお話しする機会はそれなりにあります。そういう中で感じるのは、やっぱり、日本の社会では、好奇心を閉ざすような教育がずっとなされてしまっている、ということです。

子どもたちも、小学校くらいのときは好奇心に満ちて、とても発想豊かな質問をしてくれるのです。まあ、中学生や高校生、じつを言えば大学生であっても、一年生のときであれば潑溂《はつらつ》としているのです。でも、それが卒業するころになると、とくに高校生・大学生の場合は、就職が決まったらなんとなく安心してしまうのでしょう。どんどん好奇心が閉じていってしまいます。

なので、ここでも私が学生だったころと引きあわせてしまって恐縮ではあるのですが、私たちの時代のほうが、さまざまな土地からいろいろな人たちが一つの大学に入学してきていたと思うのです。しかし、いまではそれぞれの大学がホモ（単一）な人間集団になってきている。これはとても大きな問題ですから、何かそこに楔《くさび》を打ち込むような工夫をしないといけないと思っています。

もちろん、一方には、とにかく「エリート」だけを育てればいいんだ、という発想もあるとは思うのです。でも、私はもう少し広く、たくさんの人を対象にしながら、科学に対する興味を引き出していけるような教育システムをつくりたいし、それが日本にとってはとっても大事だという立場をとります。

そうでないと、大学がだんだん進学校からきた同質性の高い子どもたちばかりになってしまうし、そうなるともう、何かおもしろい研究をやろう、という社会にはなっていかないでしょう。だからこそ、アウトリーチ活動をする際は、そういうことを意識していきたいと思っています。

まずは潜《せん》在《ざい》層にアプローチ

隠岐　アウトリーチ活動については、私の場合は以前、サイエンスカフェ[11]に関わった経験がありますが、そうすると自然科学をどう伝えるかという話になってしまうし、自分自身の専門分野とは感覚も違ってきてしまうので、一例として、歴史系の分野ではどうか、ということをお話しさせてもらおうと思います。

結論から言えば、そういう場においては、もともと関心を持っている方が聞きにくる、という部分が大きいです。とくに歴史系の分野の場合、潜在層がけっこういまして、学者だけでなく、歴史漫画を描く漫画家さんのような人が学会に入ってくださることもあります。ただやはり、関心のある人がそこにいて、そういう人にだけ届いているという構造に変わりはありません。

個人的に大事だと思うのは、こうした関心を持ってくれる人たちと、まずはちゃんと仲良くなるということです。というのも、やや突き放した言い方になりますが、関心がないものに無理に関心を持てと言われるのは、不愉快《ふゆかい》ですよね。

[11] 市民と科学者が、喫茶店で科学について気軽に話し合う場を意味した言葉。講演会などとは異なり、研究者が市民の輪の中に入って科学の話題を提供し、一緒に考えながら科学に対する理解を深めていくことを目的とする。起源は英国にあり、一九九八年に始まった活動とされている。

たとえば、失礼ながら私は野球に興味がないのですが、いきなり野球を好きになれと言われても、不愉快なだけだと思うのです。まあ、野球の場合、コロナ禍で財政的に大変だと思うけれど、そもそものファン層が厚いので、向こうも私をほしいとは思っていないと思います（笑）。とにかく、これが正直な気持ちなんです。

つまり、その分野のことをすばらしいとは思うのだけど、関心がない、ということは往々にしてあるので、無理をしなくていいのではないか、と思います。

このように、大人やある一定の年齢以上の人の関心を変えるのはやめたほうがいいと思う一方で、それより下の世代のために、理科教育のあり方を少しずつでも変えていくということはあってもいいと思います。この部分においては、アウトリーチ活動のための専門家を増やしていくことが大切でしょう。

たとえば、オーストラリアは科学コミュニケーションに力を入れており、その専門の学位を持った人が科学ジャーナリストや科学普及《ふきゅう》の専門家、科学博物館スタッフなどになるにとどまらず、科学コミュニケーションが関わるコンサルティング業を起業したり、科学の関わる行政問題へのアドバイザーの職務に就《つ》いたりしています。[12] また、クエスタコン（Questacon）という日豪《にちごう》友好記念事業の一環として建設された科学館を中心に、サイエンス・サーカスという、政府や大学や企業、学校等を巻き込んだ大規模なアウトリーチ活動が展開されています。

市民に科学の情報を伝えるためには複数の回路を設けることが望ましいと思います。とくに、いまみたいなパンデミックのようなことがあったときには、切実にその必要性を感じます。

また、理科教育のあり方でいえば、たとえばアメリカの教科書では、身近な事物や現象と関連させた記述が増えているといわれます。生活の中における化学反応の例として、呼吸など生体の化学反応や、工場で携帯《けいたい》機器をつくるときの反応、料理における化学反応など、科学と人間の生活との関わりを広く取り扱っているのです。そういう工夫によって、科学に対する違和感や苦手意識を減らそうとしています。

[12] 海外サイトになるが、サイエンス・コミュニケーターの職業一覧については「Australian Science Communicators」によくまとまっている（https://www.asc.asn.au/site-help/）。

関心を持ってもらうための工夫としてできることはいろいろあります。非専門家の人に魅力を伝える場合、大人に影響を与えるのには限界がありますが、せめて自分とは無関係だとか、日常から遠いとか、あるいはもっと進んで科学的知識に反感を持ってしまうのを防ぐ工夫は必要だと思います。

かけ離れたジャンルと科学をつなぐ?

柴藤　ありがとうございました。二つ目のコメントに移りましょう。「知の価値ではなく知の営みの価値」という点については、まさに先ほど初田さんがおっしゃっていたこととも通じてくると思います。つまり、知の部分だけでなく、研究者の日々の姿を見てもらうということですね。

初田　いま隠岐さんが言われたこととの関係で言えば、確かに自分の研究を伝えるというときに、伝わる領域というのはある程度限られてしまっているのかもしれません。

みんなが自分と同じようにおもしろさを感じたり、「なぜだろう」「不思議だなあ」と好奇心を持ってくれたりするとは限らないわけですから。まあ、小学生くらいであれば、だいぶ感触《かんしょく》は違ってくるかもしれないですけれど。

そういうときに、たとえば私が専門である「中性子星」の話をいきなり相手にぶつけて、「どうだ、おもしろいだろう」と言ったらきっと引かれてしまうと思うし（笑）、聞いてもらえたとしても、中性子星の話なんて自分たちの生活とは全然関係ないことだと思われてしまうでしょう。

だから、ここからはちょっとジャンプ（飛躍《ひやく》）しないといけません。それこそ、音楽やアートも含めて、相当かけ離れた何かに興味のある方と、研究者の領域をつなぐチャンネルを用意できるといいのかな、と思います。二〇一八年にブラックホールの研究で著名なホーキング博士[13]が亡くなられました。その追悼《ついとう》行事の一環としてホーキ

[13] スティーヴン・ウィリアム・ホーキング（一九四二〜二〇一八年）：イギリスの理論物理学者。二〇代でALS（筋萎縮性側索硬化症）にかかるも生涯にわたり研究を続け、ブラックホールの特異点定理を証明するなど、宇宙物理学の分野で大きな功績を残した。一般向けの著作も多い。

ング博士の有名な合成音声をアレンジした追悼音楽が作成され、それが欧州宇宙機構（ESA）の協力で、スペインにあるパラボラアンテナから、約三五〇〇光年先のブラックホールに向けて送信されました。これは、科学、音楽、技術など、さまざまなジャンルのコラボレーションとして参考になるかもしれません。

もちろん、これには批判もあるでしょう。つまり、研究者としてそこまでやるんですか？　その時間で研究したらどうですか？　という言う方もあるでしょう。それでも、すでに科学に関心を持っている方々だけでなく、より広く科学の本質を知ってもらう活動をすることは、長い目では基礎研究にとってきっとプラスに働くと思います。

どういう関心から、人は研究に対して寄付をするのか？

柴藤　参加者の方からは、「すべての方にわかってもらおうとするというのは、逆にどうなんだろうか」というコメントもきています。隠岐さんがおっしゃっていましたが、関心のない人に関心を促《うなが》すことへの違和感というのは、みなさんにもあるようです。とすると、大事なのは、「どういう層の人にファンになってもらうか」を明確にするプロセスなのかもしれません。

初田 私から逆に質問したいのですが、アカデミストのクラウドファンディングで寄付してみようという方には、どんな方が多いのですか？　やっぱり、科学に対する興味を持った方が多いのか、それとも、興味がない方からも寄付があるのか。

柴藤 大きく三つの層があると考えています。まずはやはり、そのプロジェクトに取り組む研究者を知っている方です。すでに知っている方であれば、人柄はある程度わかっていますから、応援したいという気持ちも生まれやすいのだと思います。
　次に研究内容です。たとえば、「中性子星」の話で言えば、自分も昔その研究していたとか、そもそも星に関心があるという方が、その研究領域の進展を応援したくて支援するというケース。この二つが大きな柱になります。
　ただ、最近では、自分の研究とは異なる研究領域や新たな興味を持てる未知の領域を探すために、「academist」にアクセスいただくことも増えてきました。そこから実際の支援につながる流れも生まれてきています。「新規ファン層」と言えるでしょう。
これまで研究者の方と接点がなく、その研究領域にもそこまで詳しくなかったのだけど、クラウドファンディングで初めて知って、応援してみたいと思い、実際に応援することによって、リターンとして研究者と直接ディスカッションする機会があり、その方のことをもっと知り、もっとほかの領域についても勉強したくなる。そういう好循環が生まれているようにも感じます。

初田　とても興味深いですね。大隅さんにもうかがいたいのですが、大隅財団の場合も寄付を集めることはされているのですか？　その場合、どういう方から寄付をいただいているのでしょう。

研究者にも「自分は何をやっているのか」を考える場が必要

大隅　財団の話は三つ目のテーマのときに詳しくお話しさせていただこうと思っていますから、アウトリーチ活動についてもう少しだけ言わせてください。というのも、これには研究者の側にもいろいろな課題があると思っているからです。

つまり、日本では大学に入学するときに、理学部の電子工学科に入るだとか、なんだかよくわからないほど細分化されたところに押し込まれてしまうので、ジェネラル（総合的）な言葉で語る訓練《くんれん》というのがまったくなされていないわけです。

私自身にしても、タンパク質も知らない、ましてやオートファジーなんて知るはずもない子どもたちに、どんなふうに自分の研究を語るかというのは、いつもとっても難しい課題です。「タンパク質とはアミノ酸からできていて」……みたいな話を抜きにして、専門領域についていかに語れるか。

でもじつは、ふだん自分がやっていることを、ちょっと引いた目線で眺《なが》めてみて、「いったい自分は何をやっているのだっけ？」と考える訓練をすることは、研究者にとっては大事なことなんですよ。そして、違う分野の人といつでも語れるような場があることも、同じくらいに大事なことです。初田さんのグループ（iTHEMS）などはまさにそうだと思うのですが、いろいろな分野の研究者が一堂に会して議論をする機会というのは、これからさらに必要になってくると思います。

まあ、私もそういう訓練は受けてきていないので、なかなか満足しておもしろい話ができたなあ、と思えることはありませんが、それでもやっぱり、アウトリーチ活動といったときに、研究者側には大変大きな課題が突きつけられていることを実感します。

柴藤　ありがとうございます。大隅財団についてのお話は、基礎研究支援の文脈でくわしくお聞かせください。それでは、こういった「アウトリーチ活動」において、どういう方とつながりながら、「これからの基礎研究」を築いていけるのか。そのことを考えるために、最後のテーマに移っていければと思います。

3 好奇心を殺さないための「これからの基礎研究」

柴藤　ここでは次の三点に絞って議論していきたいと思います。

・基礎研究をやっていて将来に不安を抱いたりしましたか。また不安を抱いていたとしたら、どのように乗り越えてきましたか。
・どうすれば興味本位の研究をサポートできる体制ができるのでしょうか。このままでは、限られたトピックスを誰がいちばん早く上手にやるかというのが科学だという誤解が出てきそうです。
・個人のレベル、あるいは草の根ネットワークのレベルで科学の発展に資するには、どうすればよいのでしょうか。

最初のコメントに関しましては、主に若手研究者の方とか、これから研究者になろうとしている方のキャリアに関連する話だと思います。

実際に、基礎研究をやっていると将来に不安を抱くことがあるだとか、本当は「理論」に行きたかったんだけど、今後のキャリアのことを考えて「実験」に行きました、という選択をした方などからコメントをいただいています。まずは、お三方がどういうときに、どのような方法で、その不安やハードルを乗り越えてきたのか、といったところをうかがえますでしょうか。

保証がないと前に進めなくなっている若者へ

大隅　いろいろなところでお話をするときに、最後に質問される最大のポイントは、やはりこの問題なんですよね。

みんな、とくに若い人ほど、研究者になって生きていけるのだろうか、という不安を抱えています。しかし、研究とは何かが、あるいは誰かが保証してくれたらやる、というものではありません。これはもう、やってみるしかない、というのが本当の答えだと思います。だから、そこまで自分で「おもしろい」と思えるような努力をしましょう、というのが正しい答えになるのではないでしょうか。

われわれが、たとえば、大学に行ったら必ず「すばらしい研究者」になれるよ、ということを保証することはできないのです。「研究って、とってもたのしいんだよ」ということくらいしか、メッセージとしては伝えられないのです。「基礎研究なんかしていたら食いっぱぐれて野垂《のた》れ死ぬと、世の中で言われるほどに悲惨《ひさん》なことには、頑張っていればならないから」という以外に、答えなどないのです。

とにかく、いまは高校生ぐらいになるとこういう質問がトップで出てきてしまうくらい、やってみたいけど保証がないから進めないという、がんじがらめの状態になってしまっている子が多いのだと思います。でも、私にできることは、むしろ自分を解放してやりたいことをやってみよう、やってもいいんだ、と思ってもらえるようなメッセージを発信していくことだけなのです。

研究者としての訓練が無駄《むだ》になることなんて、ない

初田　私もよく市民講演で話をしますが、やはり、若い人に最もよく聞かれるのが、将来の不安です。それで、この「将来の不安」とはいったいどういう意味で言ってい

るのかというと、就職口がなくて誰にも相手にされなくなること、なんですよね。大隅さんがいま「野垂れ死ぬ」と表現されておりましたけど（笑）、きっとそういうイメージがあるから、みなさん質問したくなるのだと思います。

自分が高校生だったころのことを思い出すと、そこまで深く考えてはいなかったのですが、私はこのように聞かれたら、いつも次のように答えるようにしています。基礎研究であろうと応用研究であろうと、研究っておもしろいんだよ、と。

どんな研究でも、あるテーマに関して深く考えて突きつめていくことに変わりなく、それは、人間の訓練としては最たるものだと思います。とくに博士課程に進めば、それまで誰も知らなかった事柄を突きつめて研究することができるわけですから、その後どんな職業に就こうが、その訓練が無駄になることは一〇〇パーセントない。

だからやっぱり、早いうちからあんまりいろいろなことを考えないでほしい。博士課程だったら五年間しかないのだから、そのときできることにちゃんと集中して、やり切ることが非常に大事だと思います。

女性としての不安

柴藤　若者へのアドバイスはそうだとしても、みなさん自身が不安になったことはなかったのでしょうか？

隠岐　私はそもそも理系の研究者ではないのですが、不安はありました。私の場合は女性なので、ジェンダーの問題もありますから、一般化できないところもあると思うのですけど、やっぱり、不安がなかった人というのはあまりいないのではないでしょうか。

とくに、人文系の研究者や学生はみんな不安です。私自身、先ほど大隅さんがおっしゃっていたような相談を受けたことは過去に何回もあります。ただ毎回、自分の話は参考にならない気もしているんですね。

というのも、私が大学生だった時代には、大学がまだ女性にとっていちばん安全な場所に見えていたという事情がありました。当時は、たとえば企業に行ったら女性だけお茶《ちゃ》汲《く》みをさせられるような場面があるのではないかなど、どういう扱いを受けるかわからないという感覚がありました。また、民間企業に勤めた同世代あるいは少し上の世代の人たちからは、過労で健康を損なう、あるいはセクハラで精神を病《や》むという話が、非常にリアルなかたちで伝わっていました。

もちろん大学でもそういう事件はありうるわけですけど、ただ、当時は大学のほうが、民間企業よりも問題の出方が穏《おだ》やかに見えていた。また、人文系の一部の分野では、ジェンダーの問題を話すことが可能な空気が二〇世紀からありました。私にとってはそういう場が精神的に不可欠でした。それで生き延びるためにも、比較的自分の性格に合っていそうな大学院の道を選んだのです。

なので、そもそも生きること自体に不安があったから、その中で最適なものを選んだ、というようなことしか私には言えません。そして、私と似た悩みを持つ人は、そもそも自分には大学しかないと覚悟《かくご》を決めてしまっていることが多いので、あまり相談にはこない印象があります。

たぶん、大学院か企業に就職するのかを迷って相談にくる人って、そもそも世の中に対する適応力が高いんですよ。だから毎回、あなたはすばらしい、あなたならどこでも生きていける、だからあとは自分で考えればいいんだよ、というようなことしか言えないのですよね。

なので、具体的な結論はないのですけど、私には不安はあったということです。

人とは違う、自分だけの軸を持つこと

柴藤　ありがとうございます。二つ目のコメントに移りましょう。どうすれば興味本位の研究をサポートできる体制ができるのか。このままでは、誰がいちばん早く上手にやるか、というのが科学になってしまいそう――。こんなコメントなのですが、これに関しては、大隅財団の話もお聞かせ願えますか。

大隅　私は第一部で、オートファジーの論文数が最近ではものすごく増えて、流行のフィールドになったという話をしました。もちろん、そういう領域はみんな関心があ

るので、おもしろい課題が転がっている、というのも一面では事実です。

だけど、逆に言うとですね、何千人という人がよってたかってやっているところでおもしろいことを見つけるというのは、とっても難しいことでもあるのです。そうすると、まさしくこの質問にもあるように、誰がいちばん早いか、ということだけが問題になってきてしまいます。

でも、私は科学って、やっぱり新しいことを発見することが、何ものにも代えがたい喜びであると思っています。人のやらないことをやるということは、逃げまわってそういうことを見つけようというメッセージとイコールではないのです。人と違うということを大事にし、自分の中に軸として置いておく、ということなのです。それができれば若い人たちも、もっと元気になるのになあ、と思います。

いまでは東大や京大なんかでも、ある学科において、ほとんどの人が同じ研究室に行くような事態が起きてしまっています。昔はもう少しバランス感覚があったのか、いろいろな分野に人がばらけていたのに、「みんなでやれば怖くない」という領域にまできてしまっているのではないでしょうか。

なので、これは別に科学に限った問題ではないのですが、「人と違って私はこうなんだ」ということを、日本の社会全体が大事にするようになってほしい。科学者というのはある種、特殊《とくしゅ》な人間集団ですから、そういうところに行くような人は、せめてそういう思いでサイエンスに取り組んでほしいと思います。

いくら体制を整えても、社会の意識が変わらなければ意味がない

初田　このコメントに対しては、安心して研究できるような研究資金とか財政的基盤とか、そういうことまで議論する必要があると思います。つまり、そういう体制ができあがることも必要ではないでしょうか。この意味では、やはり私は大隅財団の活動に関心がありますね。

大隅　体制ができる、ですか……。でもね、これはもう、それが大事な研究課題だったら、いずれどこかで大きな分野に育っていくだろうし、そもそもそんな予測は立て

られないし、本人にもわからないわけですよ。やってみる以外に解はないのです。自分ではこうに違いないと信じるのだけど、それが必ずしも一〇〇パーセント当たるわけでもない。それがサイエンスという営みなので、そういうものなんだと思うことも、私は同じくらいに大事だと思っています。

それに、やったら絶対に成功するだとか、成功者にならなければ科学ではない、なんてことはないわけです。「成功者」という言い方がそもそも悪くて、いろいろな人がいるがゆえに、それに支えられてある分野がすごく進んでいくというのが科学ですから。目立ったり、ノーベル賞をもらったりした人が特別偉《えら》いわけでもなんでもない。

私としては、こうした感覚が世の中に広がっていくということが、大前提としてとても大事じゃないかと思っています。

初田　それはとても共感できることですね。私も第一部で言いましたけれど、基礎研究の領域であっても、マクスウェルやアインシュタインやディラックのような、いわゆる一人の天才が急に現れて、すべての理論ができあがったわけではまったくなくて、結局、氷山の一角なんですよね。たまたま機が熟《じゅく》し、その人の能力もあいまって、新しい発見や発明が出てきたというだけ。一里塚《いちりづか》として、それらが残っていくわけです。その背後には、いろんな人がさまざまな研究をやってきたという事実がある。すべてはその結果だと思います。

もちろん、ある研究を一生やりつづけても、生きているあいだには評価されず、死後何年も経ってから評価されるということはあります。たとえばメンデル[14]の法則なんかはその例ですね。メンデルは司祭として修道院で生活していましたが、そこでこつこつ自分の研究をおこない、彼の論文も生前大きな注目を浴びることはありませんでした。

若い人が何か論文を書くときに、流行りの分野でやったほうが成果が認められやすいということはあるし、実際に若手研究者にそういう雰囲気《ふんいき》を感じることもあります。でも、ちょっと説教じみた言い方になるかもしれないけど、それはやめといたほうがいいと思う。とはいえ、流行っているものと一八〇度違うところを目指すのは大変だから、流行りを横目で見ながら九〇度方向に歩いていくのが確率高いんじゃないかと、そういうアドバイスを若手にはするのです（笑）。

とにかく、人とちょっとでも違う方向に歩き出すべきだということを、若い研究者たちには伝えたいと思いますね。その点は大隅さんの意見に同意します。

第三の場所をつくれるか

初田　一方で、安心して基礎研究ができるか、という観点から言うと、数理科学の分野では、これまでとは事情が少し変わってきています。

近年、ＩＴ技術や機械学習[15]の発展と実用化によって、それらの基礎にある数学や物理学の理論が、ある意味で「役に立つ」と少しずつ認知されてきました。

[14] グレゴール・ヨハン・メンデル（一八二二〜一八八四年）：オーストリア帝国の司祭。植物学の研究をおこなった遺伝学の祖。彼が発見した遺伝に関する法則は、その名をとって「メンデルの法則」といわれる。

[15] 機械学習とは、コンピュータがデータから反復的かつ自律的に学習し、そこに潜むパターンを見つけ出すこと。人工知能（Artificial Intelligence、ＡＩ）研究において頻出する語句でもある。

功利《こうり》的な言い方かもしれませんが、それを利用しない手はないな、と私は思っています。実際に大学院で数学や理論物理学の博士号を取得した人が、企業にいながら基礎研究をおこなうという例は、数理科学分野では増えてきています。

実例ですが、企業活動の一環としての機械学習の応用研究をおこなう一方で、企業との合意のうえで、週に一日は宇宙のダークマターの研究をおこない、論文を書いている人がいます。文科省の科学政策を担当しながら、週末には統計物理学の論文を書いている人もいます。企業活動の一環として、量子コンピュータの基礎に関する理論研究をおこなっている人もいます。アカデミアのほうでも、素粒子や宇宙や原子核の研究だけではなくて、週に一回程度、企業の研究者と一緒に金融《きんゆう》取引ネットワークの数理解析を、実データを用いておこなっている人もいます。

このような活動は、企業にとってもアカデミアにとっても、それぞれの技術開発や基礎研究の視野を広げられるという意味があります。

アカデミアと企業の関係性というのを、私たち研究者はこれまでガチガチに捉えていたと思うのですが、その境界があいまいになってきている分野もあるのです。アカデミアにいながら、週一日は応用研究・開発研究に時間を充《あ》てる、企業にいながら週一日は基礎研究に時間を充てる、というようなスタイルが増えてくる可能性が、これからはありえるのではないでしょうか。

そして、そういうことをサポートするプラットフォームを、アカデミアでもなく、企業でもなく、「第三の領域」でつくれたらよいと思うのです。もちろん、グーグルをはじめとするＧＡＦＡ《ガーファ》[16]のような巨大企業は、基礎研究をおこなう人材を企業の中に取り込みつつありますが、そんな体力を企業が持たない日本では、別のかたちを目指せないだろうかと思っています。

第三のプラットフォームをつくり、そこに企業からもアカデミアからも出向いていって、刺激を与え合いながら共同でおもしろい研究ができれば、それこそきっと、いつか「役に立つ」ことにもつながるでしょう。

16 さまざまなプラットフォームから膨大な個人データを収集していることで注目を集める、世界最大の企業群の頭文字。Google（グーグル）、Apple（アップル）、Facebook（フェイスブック）、Amazon（アマゾン）を指す。

さらに、そこで得られる資金を基礎研究にフィードバックできれば、研究者が国から「自立」し、自由に基礎研究をおこなえるはずです。私はいま、そんな妄想《もうそう》を抱いています。

もちろんこれは、数理科学に限った話なのかもしれません。ただ、なんらかのかたちでそういう突破口を開いていくべきなのではないか、と思っています。そうすることで、二一世紀の後半には、これまでとはまったく違う科学者像を描けるようになるかもしれません。

つまり、基礎研究をおこないつつ、その一部を社会に還元《かんげん》し、それによって財源を得て、自分たちで基礎研究をサポートするという「自活」モデルです。

果たして、それで好奇心は守れるのか

大隅 なるほど、興味深いお話です。ただ、私のような生物学という領域での基礎研究を考えると、最初の課題設定の段階で「役に立つ」ということを言われてしまうと、

とっても難しいものがあるのです。

たとえば、私がゴキブリの研究をしているとします。確かに、とっても大事な問題がそこから出てくるかもしれないのですが、そうした未知の可能性を最初から認めるような雰囲気はいま、なかなかない。

生化学と分子生物学をやっている人はおしなべて、これにはこんな波及効果があるだとか、このタンパク質の素材を使ったら何か病気が治りますだとか、一生懸命に研究をしている人からすれば、ほとんど意味のない作文を強いられているような気がしてならない。少なくとも、そういう側面は現実にあるのです。

多様な生物の多様な現象を研究するということが、そもそも難しくなっているという意味では、極端な言い方にはなりますが、生物学全体が、医学に従属《じゅうぞく》してしまっているという向きがあるように思えます。

たとえば、ナメクジの神経系の研究からものすごく大事な原理が発見できるかもしれないのに、そういう研究はなかなかサポートされません。それが生物学という領域が抱えている一つの状況なのだと思います。

でも、本来であれば、そういう多様な研究者が至るところに育っていてくれることのほうが、「新しい芽」が出てくるための大事な仕掛けになるのではないでしょうか。

国の貴族的な役割を再検討する

隠岐　これまでのお話の流れ、大変興味深くうかがっていたのですが、とくに初田さんがおっしゃっていた「第三者機関」という話は、私からすれば非常に現実的な響きがあるように思えました。

ただ、あえてここで言いたいのは、やっぱり公的な、つまりは税金でまかなう仕組みの見直しです。それを私からは主張したいと思います。

これは、言ってしまえば「国の役割」ということになるのですが、国家というのは自分たちでつくるものなので、やっぱり私たちの機関でもあるわけです。その中で、基礎研究なり文系の学問なり芸術なりを位置づけていくというのは、やっぱり大事でしょう。それは、先ほどのトクヴィルじゃないですけれども、ある種、過去から引き継いだ国家の貴族的な役割というか、そういったものとして維持すべきものなのではないか、と私は思っています。

とくに、私はいまから文系の立場から発言をしますけど、理系と文系でかなり違うのは、とくにここでは実験系の理系を念頭に置きますけども、やっぱりどうしても、必要なお金の規模が違ってくるわけですよ。

文系の場合、もちろん自分たちでお金を出して研究するのも大事ですし、いわゆる「在野」で研究をするのも大事なのですが、ただ、記憶の継承《けいしょう》や次世代への継承ということを考えたときに、インフラがないとどうしようもないのです。つまり、「図書館」がちゃんとないといけない。

最近では図書館の電子化[17]の話題も出ていますが、日本語のいろんな資料を電子化し、

[17] 日本の国会図書館のデジタル化は、欧米に比べて見劣りするといわれてきた。たとえば、アメリカ議会図書館では一〇〇〇万点以上の蔵書がデジタル化されているが、日本の国会図書館では、電子化可能な書籍や雑誌など約一二四〇万点のうち、この二〇年間で約二割しか電子化が完了していない。そういう状況において、二〇二〇年には、二五年度までにさらに一六五万点を追加で電子化する計画が発表された。

維持するサーバーがないというのは、やっぱり研究者からしても困るわけです。このように一世代を超えて知を維持するということを考えたときに、やっぱり国家の役割というのは欠かせません。

なので、ある種のインフラを維持する、そしてそこで雇用《こよう》をつくるというのが、日本という国家がこれからやらなければならないことだと思います。いまの経済状況はとても厳しいので、実現の見通しはなかなか悪いですけど、ただ、本当に足りていない部分ではあるので、そこを強調しておきたいですね。人文系の雇用を守るという意味でも。

短期的にすべきこと、長期的にすべきこと

大隅　隠岐さんのお話も非常によくわかります。ただ、私はもうちょっと危機感が強くてですね、たとえばいま、大学院生の場合、もうほとんど、誰も行かないような研究分野が出てきてしまっているわけです。そうすると、それこそ「継承」できなくな

ります。ある分野における「継承」がなくなったとき、それをもう一回立ち上げるのって、相当な努力が必要になりますよね。

なので、もちろん、国の役割というのはとっても大事だというのは間違いないことなんですけど、私の中にはもう少し強い切迫感があって、そういう状況でわれわれができることってなんだろうか、どうすれば新しい芽を少しでも育てていくことができるのか、ということを考えたい気持ちがあるのです。

たとえば、初田さんが先ほど言われたような、企業とのコラボみたいなおもしろい例。こうなったらいいんだ、というような典型的な例を、科学者自身がつくって示していくことでしか、いまの日本の社会では変革にはつながらないのかもしれない、という思いもあります。

だから、あんまり悠長《ゆうちょう》なことは言っていられないといいますか、とにかく、若い人が科学の研究に向かっていかないような雰囲気が強くなっていってしまうことを、私はいま本当に恐れているということなのです。

ただ、おっしゃられていることは非常によくわかります。私も、国に対してはなるべく声を大にして言っていきたいと思っています。でも、それですぐに変わるという展望はなかなか持てない。それも一つの現実だと思います。

人文系科学における「在野《ざいや》」の見直し

初田　隠岐さんがいま言われたことは、とくに人文系に当てはまる話だと思いますが、「人文系の科学をどういうふうに支えていくのか」という議論は、研究者のあいだでおこなわれているのでしょうか。

隠岐　そうですね。それなりにあるとは思っています。ただ、人文系の場合は、雇用の問題と継承の問題とで、まだ議論がまとまっていない部分があるのかもしれません。最近ではいわゆる在野の研究者、つまりインディペンデント・スカラー（独立系研究者）の存在が見直されている流れもあります。大学の外に出ても、自分自身でそれなりに研究できるという実感が育ってきたといいますか、ある種、成熟してきたのです。理科系でもＤＩＹや日曜科学者のような動きはあると思うのですが、文科系でも、まあ昔からそういう方はいらっしゃったのですが、最近ではとくに若い世代を中心に、誇《ほこ》りを持って日常生活の中で研究をするという立場が、再確認されるような動きがあります。

一方で、大隅さんがおっしゃったように、後継者がいないと、このままアカデミックな知が絶えてしまうといった危機感を持っている人も、本当にたくさんいます。いま申し上げたようなインディペンデントな研究者の存在と、教える、継承するという動きをどうつないでいくのか。その部分の話は、あまりできていない気がしますね。雇用についても主張はいろいろあるのですが、もう何十年も同じことを繰り返していて、だけどもうまくいっていない、という印象を受けます。

柴藤　確かに人文系の研究者の中には、大学を辞めて個人で独立系研究者として活動されている方がいらっしゃいますね。たとえば、クラウドファンディング等で毎月お金をファンの方からいただきながら生活をすることを目指している方もいます。いわゆる理工系に比べると、かかる研究費が相対的に少ないというところがありますし、比較的、研究内容を自分事に感じてもらいやすいというのもあるかもしれません。たとえば、哲学の研究者で、そもそも「死」とは何か、ということを考えるとなったときに、支援する側からすれば特定の専門知識がなくても自分事として、つまりそれを自分の人生と関係するものとして捉えやすいということがあります。人文社会科学で独立した研究をしていくというのは、もしかすると、理工系よりはやりやすいのかもしれません。

個人の活動をどのようにネットワーク化していくか

柴藤　いまの流れから最後のコメントにつなげたいと思います。
独立系で研究する人が出てきている、研究者が自活できるようになっていく、というお話がある一方で、そうした個人個人がつながっていくことにも意味があるのだと思います。つまり、研究者個人をつなげるネットワークをどうつくり、社会的にインパクトを持たせていくのか。これが、これからの基礎研究、ひいては科学全体の発展における大事な取り組みになってくるのではないでしょうか。

ここまでの議論を踏まえると、たとえば企業と関係性を持って研究を進めていくだとか、国の仕組みをアップデートする動きをつくる、あるいは大隅さんのように財団で、研究者の方をこれまでとは違った文脈から支援するだとか、アプローチにも多様性が生まれてきていて、まさにいまが節目《ふしめ》のような気がします。この部分に関して、お三方からご意見をいただければと思います。

まずは大隅さん、ぜひ大隅財団の実例、たとえばどういう方が実際に申請し、採択《さいたく》されているのか、ということについてお話しいただけますでしょうか。

大隅　はい。ただその前に、やはりもう一言だけいいでしょうか。
今回のシンポジウムはズーム（Zoom）を使ってやられていますが、こうしたオンラインでの「つながり」というのが、ある意味では、世の中を変えてきているという側面がありますよね。

一例を言うと、ある研究者が海外に出て、微生物の研究をしてから帰国して、日本に一人ぽつねんと地方のなんとか大学にいるとします。そうなるともう、まったくその研究に関するディスカッションをする場がないわけです。日本にはそういう研究者がたくさんいます。

そういう人たちが今回、初めてわかったこととしては、ネットでつながれば意外にコミュニケーションがとれるんだ、ということですよね。学科とか学部とかを離れて、自由な組織ができてしまう。そういうことを、われわれはこのパンデミックの中で学びつつあるのです。

ネットでつながり、本当に自由な議論ができる可能性が少しは見えてきたと思いますから、やはり、その芽をどういうふうにこれから伸ばしていけるのか、というのも大きな課題だと思っています。

以前であれば、月に二回集まろうとなると、全国規模であればお金はかかるし時間もかかって、簡単にはできなかったわけです。それがオンラインでつながるとお金もかからない。二時間だけそのための時間を空けよう、ということも意外に難しくない。

これは案外、大事な転機になるかもしれません。

研究者目線で「おもしろい研究」を支援したい

大隅　さて、いよいよ私たちの財団の話をさせていただくのですが、研究費の助成ということに関して言えば、現在は年間六〇〇〇万円くらいのサポートをしています。小さな財団ですけれども、それなりの額の支援をしている位置にはいるわけです。

すでに支援を受けている人が、追加で数百万円をもらってもなんの意味もありませんから、私たちは研究者目線に立ち、「この人の仕事は独創的でおもしろい」と思えるような人を支援することを最大の特徴にしています。そういうやり方があるということが少しずつ認知されてきていて、しかも実際にできてしまうんだ、ということを日々感じています。

もちろん、日本には私たち以外にもいろいろな財団があって、たとえば、サントリーの財団（公益財団法人サントリー生命科学財団）が新しいプログラムをつくっただとか、京セラが毎年一〇〇〇万円を一〇年間助成するプログラム（稲盛《いなもり》科学研究機構フェローシッププログラム）をつくっただとか、そういう取り組みは常にあります。

そして、これまでであれば、科研費をもらえるような業績のある研究者だけが資金を獲得していくという流れでしたが、いまはそういう基準から外れて、むしろ、おもしろい研究をしているのに、いろいろな困難があるためにそれを続けにくい人をサポートしていこうと、そういう流れになっています。結局、私たちの財団がいちばん大事にしたいのは何かというと、やっぱり「研究者の目線で選べる財団」である、ということなんですよ。

これまでは財団というと、お偉い先生方がずらっと並んで、そういう人たちと関係のある研究者が選ばれていくだとか、すでにトップにいるサイエンティストが選ばれていくようなことがあったわけです。でも、大隅財団ではそういうことは絶対にしません。現場の研究者の目線でサポートできる財団でありたいと思っています。そういう視点から選ばれた人たちが元気に活躍してくれたらうれしいし、その人たちが核になって、新たなファンコミュニティをつくっていってくれることを願っています。

いまや、私が材料としている酵母の研究者もだんだん減ってきていますが、それでも私たちの財団では、酵母を一つの枠としてサポートしています。年に三、四人ずつでもいい。ちゃんといい仕事をしている研究者を選んでいけば、一〇年間で三〇人くらいにはなりますから、それだけでも、ものすごく大きな力になりますよね。そういう人たちが、新たなコミュニケーションの場をつくり、新たな研究を展開していってほしいのです。

企業の寄付文化を醸《じょう》成《せい》する

大隅　ちょっと長々と話してしまいますけど、もう一つ、私たちの財団では、企業との新しい連携システムをつくるということを第二の柱にしています。というのも、われわれの財団は、財政基盤が何百億もあるところからスタートしていないからです。一方で、基礎研究を大事にするということをとっても重く感じてくれている企業のトップの方がいま、けっこういますから、そういう人たちが会員になったり寄付してくれたりすることも、一つの大きなサポートになっています。日本にはあまり寄付の文化がないということがよく言われますけど、意外と、理解を示してくれる企業はあります。

寄付ということで言えば、日本の学会には、製薬《せいやく》業界に対して一律に数百万円ずつ寄付してくださいというような、そういう文化がはびこっていると思うのです。たとえば、学会をやるとなったら、いろんなかたちで企業から寄付を集めるわけです。

しかし、私はそれって、ある種の「たかり」だと思っています。企業からしても、ただの「お付き合い」に過ぎない。そういう文化でやってきてしまった部分があるのです。だからこそ、本気になって「一緒にやりましょう！」と言ってくれる企業がサポートしてくれる形態があってほしいと思っていました。いまでは、そういう企業の方たちと議論をしながら進めています。

最後にもう一つだけ言わせていただくと、これは大学の研究者のサポートではないのですが、企業の中にいる研究者のレベルアップも同時に図りたいということで、バーチャルの研究所をつくって、企業の研究者と大学の研究者とがコミュニケーションを図れるような場をつくる試みも一生懸命に進めています。一年間くらいかけて議論をしておりまして、ようやくこの一〇月からスタートしてみようということになりました（微生物機能探究コンソーシアム立ち上げシンポジウム）。

個人単位でも、基礎科学を応援したい人が確実にいる

柴藤　ありがとうございます。一点だけ確認したいのですが、大隅財団に採択された方というのは、おそらく科研費に通るような書類ではなく、まさにそれまでと違う「説得の言葉」によって採択された方たちなのかな、とも思うのです。たとえばこういう研究が採択されているという、特徴のようなものがありましたら教えていただけますでしょうか。

大隅　私たちもすべての研究領域を追えているわけではありませんから、申請書に関しては、「自分の発見した生理現象」にもとづいて提案するようにしてください、と

いう限定をかけています。ですから、自分でオリジナルに発見した何かをさらに展開したい、という人から申請がくるような募集をかけるようにはしています。

それから、これは財団がもっと大きくなったらの話ですが、大学で定年になって、だけど、もうちょっとおもしろい仕事を続けたいという研究者がたくさんいますから、そういう人たちも採択できればいいな、と思っています。

とにかく、私たちはいろいろな事情を考慮《こうりょ》して採択するようにしておりますから、まずは財団のホームページを見ていただきたいです。そこには採択された人のコメントもたくさん出ています。変な言い方にはなりますが、そういうふうに「喜んで研究をやります」「これで研究を続けられます」ということを表明してくださる人たちがこんなにもいる状況は、むしろ、私にとっても大変大きな励《はげ》みになっています。

もう一つだけ付け足すと、企業もさることながら、個人でも基礎科学を大事にしてください、と言ってくださる方はたくさんいます。もちろん千人単位とかではないのですが、二〇二〇年八月だけでも三、四〇人ほどの方が個人的な寄付をしてくれました。数千円の方もいれば、何千万円という方までいます。

いずれにせよ、基礎科学を大事にしてほしいと、本当に真面目に願っている方というのは確かにいて、いったいどこから私たちの情報を得たのかなあ、なんて思ったりもするわけですが、とにかく、そういう方がいらっしゃるというのも、いまの世の中なのだと思います。

「科学者の坩堝《るつぼ》」をつくる

初田　私からもコメントさせてください。最初にご紹介したとおり、われわれは二〇一六年に、理化学研究所に数理創造プログラムを立ち上げました。それはある意味では「草の根ネットワーク」と言っていいような活動じゃないかと思うのです。

いくつかポイントはあるのですが、まずは研究者が視野を狭めすぎずに、もっと広げていく必要があるんじゃないか、ということです。もちろん、博士号を取得するまでは、自分の研究に専念して、あまりよそ見はせず、深掘りすることが必要です。ただ、博士号を取得した人が、一生同じ分野にいつづけるのではなく、ほかの分野のエキスパートと相互作用して、そこから新しい研究の方向性を見出すということがあってもいいわけです。

といっても、むりやり共同研究を立ち上げて結果を求めなくてもよい。とにかく、自分の分野とは異なる分野の雰囲気に触れることが大事。それによって、自分の研究を飛躍させるための糧《かて》としてもよい、共同研究をして新しい分野を開拓してもよい、ということです。

そういうあり方を、私たちは「科学者の坩堝」と呼んでいます。数学、理論物理学、理論化学、理論生物学、情報科学、計算科学などの分野の若手研究者が、一つ屋根の下に日常的に集まり、坩堝を形成し、ぐつぐつ煮詰《につ》められていくうちに、五年かかるか一〇年かかるかはわかりませんが、新しい潮流が生まれるかもしれません。

また、この坩堝に参加し影響を受けた人たちが、将来、大学、研究機関、企業などに移って、そこでこの坩堝スピリットを拡げてくれれば、それによって新しいサイエンスのあり方が広がっていくのではないかと思っています。

ボトムとトップの両方から攻めていく

初田　それからもう一つは、やはり「ファン層」を増やさないといけないということです。科学ファン以外にも、もっと広くファンを増やさないと、サポートは広がらない。そういう問題意識から、先ほど申し上げたように、数理創造プログラムと広告会社の若手メンバーで、ここ数年間さまざまな議論を重ねてきています。

それから、これもすでに述べましたが、アカデミアの研究者と、企業の研究者・技術者が、一緒に研究できる第三の場所をつくることが、基礎研究を未来につなげていくうえで重要と考えています。先ほどは「妄想」だと言いましたけど、そのためのプラットフォーム構築を、一歩一歩進めているところです。

いずれにしろ、基礎研究を支えるためには、これまでのかたちにとらわれない新しい方法を研究者自身も模索していかないといけません。これは研究者レベルの「草の根運動」とも言えるでしょう。

一方で、最初のほうに申し上げたように、日本の科学政策決定の仕組みも変えていく必要があります。科学者や科学の本質を理解している人が、実質的にそこに関わることが非常に重要です。ボトムアップとトップダウンの動きがきれいにマッチするようなかたちをつくらないといけません。草の根運動だけではやっぱり、限界があるのです。

ちなみに、海外では基礎研究を支えるうえでさまざまな財団が重要な役割を果たしています。カーネギー財団やロックフェラー財団は有名ですし、近年はカヴリ財団やサイモンズ財団などが、数学や物理学をはじめとする基礎科学分野に資金を提供し、基礎科学を振興する土壌《どじょう》づくりに大きく貢献《こうけん》しています。

日本ではまだまだ、そこまでの大きな動きにはなっていません。だからこそ、大隅財団には非常に期待していて、将来的には生物学だけじゃなく、もう少し分野を広げていただけるとありがたいと思っています（笑）。

新しい活動だけでなく、すでにある活動との連携も意識する

隠岐　お二方がもう、大事なことはほとんどおっしゃってくださったという感じですよね。財団をつくる、広告会社との連携……、もう何も加えることがないというような気持ちになっているのですが(笑)、もう少し目線を低くして私が申し上げたいところとしては、まず、個人レベルで言えばツイッターでつぶやくだけでも、何か意味があると思います。

つまり、一人ひとりが関心を示すだけでも意味があるということを、常に思っているのです。私はそれに関心があるんだよ、と外の人に言うだけでも、やっぱり周囲の状況がちょっと変わるじゃないですか。それがまず一つです。

あとは日本の特徴、といえるかどうかまではわからないのですが、気になっていることがあります。じつは、すでに草の根レベルのネットワークはたくさんあると思うのです。問題なのは、草の根のネットワーク同士をつなげたり、大きくしたりすることがうまくいっていないことではないか、と感じることがあります。

たとえば、世代によってネットワークが分かれてしまっていたり、通信手段によって分かれてしまっていたり、そういうことが、わりと自分の周りでも、ほかの分野でも目立つ気がするのです。なので、あえて言うならば、「ムラ意識」のようなものが各ネットワーク内にあるのかもしれない。

ですが、そこは気持ちを切り替えて、ネットワーク同士をつなげていくことを考えたほうがいいですし、これから新しくネットワークをつくる人であればなおさら、先《せん》駆《く》者がいるかどうかを意識したほうがいいと思います。

というのも、これは自分の反省点でもあるのです。たとえば、「仮説実験授業」という理科教育の取り組みをずっと続けている団体があり、私の住む地域にもその大きな支部の一つがあります。[18] また、各地には優れた科学博物館があります。しかし、科学史の研究者がそのような各地の活動と常に連携をとっていたかというと、人によりかなり差があります。

だからこそ、そういった草の根同士をつなげるということが、これからのオンライン社会においてはなおさら重要になるのでしょうし、そうすることでオンラインそのものの可能性も広がっていくと思いますし、それを願っています。

まとめ

柴藤 みなさん、ありがとうございました。いよいよまとめに入らせていただけたらと思っております。

今日は「『役に立たない』科学が役に立つ」というフレーズをキーワードとして出発しました。前半戦では、お三方から、ご自身の体験やお考えにもとづいて話題提供をいただきました。後半戦ではディスカッションをしてきたわけですけど、何か一つの結論が出るというところまでは、この時間だけではいきませんでした。

ただ、科学研究の進め方自体がいま変わってきていること、そして、そのためには

[18] 仮説実験授業研究会（https://www.kasetsu.org/index.html）は「科学的な・だれでもが信頼して利用できるような（検証可能な）科学の教育・授業に関する法則の発見・確認を目的とする」全国規模の組織であり、一〇〇〇人以上の会員を抱えている。

さまざまなステークホルダーが変わっていくことが必要だということは、今日示唆《しさ》いただいたとおりなのだと思っております。

具体的に言えば、これまで国が主導的に進めてきたサイエンスではあるのですが、これからは国に加えて、企業を巻き込んだり、財団と協働したり、あるいは個人のファンをつくりながら進めていくようにしていかないと、基礎研究は継続的に発展できないんじゃないか。そんなところにまで、いま、基礎研究はきてしまっていると思うのです。

ただ、そこを実際どう実現していくのかといった部分に関しては、おそらく人の数だけ方法があるのだと思います。ですので、いかにそのネットワークをつなぎ、一緒にできるところは一緒にやるのか。その部分を今後、われわれは考え、行動していけたらいいのだと思いました。同時に、初田さんが最後におっしゃっていたように、トップダウンとボトムアップをどうなめらかにつなぐのかという視点を持ちながら、ボトムアップ的な活動をするということが、基礎科学の新しい方法論を見つけていくためには欠かせないのだと、強く感じた次第です。

ということで、大隅さん、初田さん、隠岐さん、最後にコメントを一言ずつお願いできますでしょうか。

大隅　やっぱり、思い立ったら行動することだと思います。いまの大学人を見ていると、思っていても何も言わない、行動しない、ということがずっと続いているように思えます。思ったら少しでも行動に移すこと。みんなでそうしたことを大事にしていくことが、日本の基礎科学を大事にすることにもつながっていくのではないかと思います。

今日はとてもおもしろい議論ができたと思いますし、こういう機会を引き続き設けていくことで深掘りできるポイントも出てくると思いますから、第二回目もあるといいですね。

初田　今日は多くの方々にご参加いただきまして、本当にありがとうございます。参加いただいた方の中には、相当数の大学生や大学院生の方がおられると思います。

次世代を担うのは、まさにその若い方々です。なので、若い方々には一生懸命おもしろいことを追究してほしいし、大学院生の人には、研究により一層邁進《まいしん》してほしいというのが、私の強い思いです。これからの基礎研究を牽引《けんいん》するのも、科学ファンを魅了《みりょう》するのも、結局はそういう若い方々ですから。とにかく、自分なりの「おもしろい」を追究していってほしいです。そして、さらにはその「おもしろさ」をみんなに伝えていってほしい。それに尽きると思います。

もちろん、私たちシニア世代も引き続きいろいろな方向を模索していきたいと思います。たまに変なことを言い出すかもしれませんけれども、なんか変わったことを言い出したな……、とは思わないでいただいて(笑)、少しでも若い方々をバックアップできればと考えています。

隠岐　まず、このような企画にお誘いいただいたこと、企画者の方には心より御礼を申し上げたいです。そして長時間に及ぶ議論に参加してくださった方、本当にありがとうございます。

一つだけ、個人的な話をしたいと思います。私自身、先ほど申し上げたように、「役に立つか、立たないか」ということを、昔の人はどのように語ってきたのかを研究してきました。

じつは、そのテーマを思いついたときというのは、私にとって非常に苦しい時期で、それこそ不安しかない時期でした。指導教官との関係もおかしかったですし、これから仕事があるのかもわからなくて、それこそこの研究の何が役に立つかわからない中で、科学が「役に立つ」と主張する人たちの文章を淡々《たんたん》と読んでいた。そんな記憶があります。

それはちょうど二一世紀の初めくらいのことですが、まさか今日、このような場で、「科学が役に立つかどうか」というテーマについてお話しする機会をいただけるとは思ってもみませんでした。そういう意味では、本当に幸せな時間をいただけたと思います。

こうしたテーマに関心のある方が数多くいるというのは、これも本当に素敵なことだと思っておりますので、ぜひ、関連する企画を続けていっていただけたらと思いいます。そうした試み自体が、基礎科学なり、芸術なり、あるいは人文社会科学なりを支える、大きな力になるのではないかと思っています。

柴藤　ありがとうございます。みなさまぜひ、お三方に向けて拍手をお送りいただければと思います。

第三部 ▼▼ 科学と社会の幸福な未来のために

——対話を終えて

1

初田哲男

科学と技術が、幸福な「共進化」をとげるための実践

今回のイベントでは、基礎研究の意義、科学者と社会の関わり、基礎研究を支える仕組みなど、さまざまなポイントについて、異なる観点から大変有益な議論ができたと思います。コロナ禍以前の対面の世界では、今回のようなイベントにこれだけ多くの聴衆が集まることなど、想像すらしていませんでした。ズーム（Zoom）をはじめとするオンラインアプリは以前から使っていたので、本来ならば可能だったはずなのに、講演会などは参加者が会場に集まっておこなうものという固定観念があったためです。一方、研究現場では、お茶を飲みながらのテーマが決まっていない雑談から思いがけないアイデアが生まれるという、対面ならではの醍醐味《だいごみ》をどのようにバーチャル空間に組み込んでいけるかが、今後の大きな課題にもなっています。

以下では、時間的制約などで当日は十分話せなかった、科学者と社会の関わり、基

礎研究を支える仕組みについて、私が所属する理研数理創造プログラムの具体的な取り組みを例にとりながら補足させていただきます。

これからのアウトリーチ

科学者と社会の関わりという観点では、オンラインイベントはアウトリーチの新しい可能性を開いています。これまでは、研究機関からのプレスリリース、市民講演会、出前授業、ユーチューブ（YouTube）を用いたオンデマンド配信などが、研究の成果や研究者の存在を広く社会に知ってもらうための主要な方法でした。一方、オンラインのライブ配信は、研究者の素顔《すがお》に触れてもらえると同時に、チャット機能を通じて気楽に参加者が質問ができるので、研究者と参加者が双方負担の少ないかたちで交流できる良い機会を提供しています。

また、研究現場でも、オンライン講演会は、通常なら相当な時間と労力をかけて招《しょう》聘《へい》する国内外の著名な研究者に気楽に声をかけることを可能にしました。たとえば、今回のオンラインイベント開催のきっかけになった書籍『「役に立たない」科学が役に立つ』の著者の一人であるロベルト・ダイクラーフ教授（プリンストン高等研究所の現所長）は著名な数理物理学者ですが、理研数理創造プログラムの求めに気軽に応じて、二〇二〇年一一月に「数学における量子論の不可思議《ふかしぎ》なまでの有用性」という研究者向けのオンライン講演をおこなってくれました。日本では午前一〇時から、プリンストン高等研究所のあるアメリカ東海岸では夕食後の午後八時からという時間帯で、リラックスした雰囲気での講演と質疑がおこなえたことが印象的でした。

実空間でのグローバル化によりパンデミックが拡がったことで、サイバー空間でのグローバル化もより一層加速し、その大きな可能性が浮《う》き彫《ぼ》りになったのが二〇二〇年といえるでしょう。科学者と社会の新しい接点として、この新しい可能性をさらに飛躍させる必要があるのだろうと考えています。

未来のプロトタイピング

さて、どんな分野の研究者であれ、自分の研究がとってもおもしろくて、ぜひ多くの人にこのおもしろさを知ってほしい！　という気持ちを持っています。ただ、それが空回《からまわ》りして、科学好きの方たちだけにしか思いが届かなかったり、科学研究に馴染《なじ》みのない方からは「よくわからないがおもしろそうなことを研究されているのですね。これからも頑張ってください」ということで話が終わってしまう場合が少なくありません。このような事例を見るにつけ、もともとはそれほど興味がない人にも科学研究のおもしろさが伝わるべきではないか、それができて初めて、基礎研究の重要性が広く伝わり、多くの方にサポートしてもらえるのではないか、と私は考えるようになりました。

この観点から、私たち数理創造プログラムでは、一方的な情報発信から総合的な体験デザインへのシフトを謳《うた》う広告会社ＡＤＫの若手メンバーと共同で、「役に立たないプロトタイプ工房（Useless Prototyping Studio）[1]」を二〇二〇年一二月に立ち上げました。

それは、一見役に立たないけれど人の心に刺激を与えるようなプロトタイプ（試作品）をつくるデザインスタジオです。科学者の「未知への好奇心」から導き出された科学的理論や仮説をもとに、クリエーターが「未来を一変させる可能性を空想（イメージ）」し、その一つのシナリオをデザイナーが「具現化（プロトタイピング）」することで、科学が持つ未来への可能性を可視化《かし》し、多くの方々に興味を抱いてもらうというものです。

その第一弾として、超巨大な情報を溜め込むことが理論的に可能な「量子ブラックホール」という科学的理論を、遠い未来の情報デバイスとしてデザインし展示をおこないます。専門のまったく異なる科学者、クリエーター、デザイナーが協力して、科学が拓く未来の可能性を想像することは、科学者自身にとっても新鮮《しんせん》な体験であると同時に、科学の持つ可能性を科学に興味がない人にも知ってもらう良い機会になります。

また、このような活動は自己完結的であるべきでなく、生まれたデザインを起点にさまざまなジャンルの方々（たとえば音楽家、画家、漫画家、小説家など）が興味を持って自分の活動の中に取り込んでいってくれることが重要であろうと思います。私自身も、一九六〇年代に鉄腕《てつわん》アトムや宇宙大作戦（スタートレック）のようなテレビ番組を見て、おのずと未来の世界や科学的冒険に対する憧《あこが》れを持ちました。科学者は研究に専念すべきで、ほかのことに余計な時間を使うべきでないという批判もあるかもしれませんが、私は科学者がこのような活動に少しでも時間を割《さ》くことは、自分自身にとっても、また社会にとっても決して無駄なことではないと思います。

このようなアウトリーチ活動を通して、とくに私が多くの人に知ってもらいたいと考えていることの一つは、科学が一部の天才の存在だけで進んできたのではないという事実です。『「役に立たない」科学が役に立つ』の著者の一人であるエイブラハム・フレクスナー（プリンストン高等研究所の創設者・初代所長）はエッセイの中で、科学研究の進み方を「科学はミシシッピー川のように、遠い森の中の小さな流れから始まる。次第に他の流れが加わって、水嵩《みずかさ》が増していく。そして、無数の源流が集まり、やがて堤防《ていぼう》を決壊《けっかい》させるほどの力強い川が形成される」と喩《たと》えています。科学研究をおこなう人

1 https://uselessprototyping.jp/

たちは実感していることですが、科学は堤防を決壊させる地点にいた人だけで進んできたわけではなく、アインシュタインでさえその例外ではありません。この意味で、とくに基礎研究には多様性がきわめて重要です。第一部でも述べたように、これは「選択と集中」とは真逆の考え方なのです。

二一世紀型の基礎研究支援

基礎研究を支えてきたものは、歴史的には、パトロンであったり、国家であったり、企業でしたが、現在は、限られた公的財源の中でのパイの奪い合いという手詰まり感があります。二一世紀後半に向けて、この閉塞《へいそく》状況を打破し、新しいタイプの基礎研究を支える仕組みを構築する必要があるのではないかとここ数年考えてきました。たとえば、アカデミア（大学や研究機関）と企業がそれぞれの長所を持ち寄って協働できる新たなプラットフォームを形成し、そこで知財・人材・資金を生み出し循環させることができれば、基礎科学が公的資金だけに束縛《そくばく》されず自由な研究をおこない、かつ社会にも貢献できるのではないかというわけです。

歴史を振り返れば、自然をより良く理解したいという人類の好奇心にもとづく基礎科学は、その副産物としてさまざまな応用技術を生んできました。一方で、人間生活を改善しようとするさまざまな技術開発が基礎科学の新たな発展を育んできました。一九世紀の産業革命と熱力学、二〇世紀の量子力学とエレクトロニクス革命はこのような相互関係の好例ですし、二一世紀の情報革命もこの延長線上にあります。つまり、基礎科学と技術革新は「共進化」してきたという事実があります。また、定量《ていりょう》性をその真髄《しんずい》とする現代科学においては、しばしば数理科学（数学や理論科学）が本質的な役割を果たしています。

以上のような観点から、私たちは数年の準備期間を経て、国立研究機関である理研と民間のＩＣＴ企業であるＪＳＯＬの両方から出資を得て、ベンチャー企業「理研数理」を二〇二〇年一〇月に設立しました。[2] そこでは、数理科学を専門とするアカデミ

[2] https://www.riken-suuri.jp/

アの研究者と、産業界の研究者・技術者が同じプラットフォームで協業と人材還流《かんりゅう》をおこなうことで、科学と技術の共進化を一層加速しながら新しい価値を生み出し、研究者が社会とつながりながら二一世紀後半における基礎科学を支える新しいモデルを提供することを目指しています。アカデミアに閉じることもなく、企業に閉じることもなく、両者が対等の立場で、それぞれの得意とするところを持ち寄って協働できる「第三の領域」は、日本では体力を失いつつある両者が負担の少ないかたちで力を発《はっ》揮《き》できる仕組みになるのではないでしょうか。

科学者と社会の関わりについても、基礎研究を支える仕組みについても、私たちはこれまでの固定観念を破って新しい試みをおこなっていく必要があり、そうしなければ、二一世紀後半の基礎研究は危《あや》ういと私は感じています。今回のオンラインイベントは、基礎研究を取り巻く危機的現状を俯《ふ》瞰《かん》し、それを多くの方々と共有する良い機会になりました。ぜひまたこのようなオンラインイベントを開きたいですし、そのときには現状打破に向けたより具体的な取り組みをさまざまに紹介し合い、可能性に満ちた明るい科学と社会の未来像を議論できればすばらしいと考えています。

2

大隅良典 ▼▼

個人を投資の対象にしない、人間的な科学のために

まず、今回のような場を設けてくださった主催者の方々に感謝申し上げます。というのも、こうした異なる分野の科学者が語り合う機会は、日本にいるとなかなかないからです。物理学という、いわゆるビッグサイエンスにつながるお話をしてくれた初田さんと、生物学というスモールサイエンス――と言いつつも最近はお金がかかるのですが――それを専門とする私。科学史の視点から発言してくれた隠岐さん。とてもおもしろい時間でした。

欲を言えば、こういう場に社会科学系の専門家が入ってきてくれると、より現実的な議論になるのではないかと思います。たとえば、日本にいま、基礎研究者がどれだけいて、それは多すぎるのか少なすぎるのかどうか。あるいは、大学の数は多いのか少ないのか。そういう議論ほどいい加減になされがちですから、社会科学者の視点が

入ることで考えが深まり、「政策提言」までつなげられるようになると思います。

ただ、今回の「選択と集中」のように空中戦になりがちなテーマであっても、三者三様、地に足のついたお話ができたので、第一回としては上々だったのではないでしょうか。私自身、空論になっては仕方がないと思ったので、なるべく日本の科学者が抱えている問題を具体的に、現場視点でお話しさせていただいたつもりです。

ただ、そのことに違和感を覚えた読者もいたかもしれません。というのも、私は当日、あえて国が果たすべき役割には言及しなかったからです。もちろん、国の役割を排除したいわけではありません。私はずっと、「基礎科学は国が研究費を出して支えるものだ」と思ってきましたし、そのおかげで研究をやってこられたことも事実です。

しかし、現実問題として、いまの国の政策決定に科学者の声が反映されているとは到底《とうてい》思えないし、研究者が声を上げられる場もほとんどない。二〇二〇年一〇月以来、日本学術会議会員の任命拒否問題が世間を騒《さわ》がせていますが、これまで学術会議が研究者の意見を集約できるほど組織として機能していたかと言われれば、必ずしもそうではなかったでしょう。学会や大学の発言力も弱まる一方です。声を上げても無駄だ

――そんな無力感が、研究者のあいだで蔓延しているように思えます。

だからこそ、国が基礎研究を支えるのが大前提ではありつつも、それに頼るだけでは間に合わないという切迫感があります。財団を立ち上げたのもそういう理由からです。あえて国の政策とは距離を取ったところに立ち、政治の論理に手足を縛《しば》られることなく、在野の人間として発言したい。そんな気持ちが強くあります。

もちろん、在野で国に代わるほどのお金が集まることはありえないのですが、政策批判ばかりしていても話にならないので（実際、学術会議として要望書をたくさん出してきましたが、ほとんど採用されたことはありません）、別のモデルを提示していくしかないと思い、そのような立場から発言したわけです。

「好きなこと」がわからない？

以下、二つのポイントに絞って本編の議論を補足しておきましょう。

私はよく「役に立つという言葉がこの社会をダメにしている」「やりたいことをやっ

てみよう」ということを言います。そのたびに、「そうはいっても好きなことだけやってはいられない」「研究者たちの厳しい環境を考えたら理想論だ」といった批判をいただきます。

そのとおりだと思います。いまの研究を取り巻く環境は確かに厳しい。

ただ、私がこう言ったときに論点にしたいのは――「好きなことをやろう」と言いたい気持ちはもちろんあるものの――そもそも「好きなこと」がなんだかわからない研究者が増えているという、科学の営みにとって致命的な状況をいかに打開できるか、ということなのです。

たとえばいま、多くの大学院生が「私は〇〇をやりたくてこの研究室にきた」と言わなくなった、という話をよく聞きます。むしろ、どのテーマを選べば修士課程（マスター）のあいだに良い論文が書けるのかを気にするそうです。背景にはもちろん、論文を書けないと安定したポストが得られないという事情があるのでしょう。

しかし、科学の本質は自分で「問い」を見つけることにあります。マスターはあくまで訓練期間。そこで科学の作法を習ったのちにドクター（博士課程）に進み、自分なりのテーマを見つけて博士論文を書く。それが、私が学生だったころのスタンダードでした。もちろん若くして優秀な人はいまもいるので一概《いちがい》には言えないのですが、風潮としては、ドクターに進むためのマスターではなくなっているし、マスターのうちに手際よく論文を書き、どこかに就職するということが、いちばんの関心ごとになってしまっているように思えます。

「好きなことをやろう」と呼びかける以前に、「好きなこと」がないまま研究をしている人が増えてしまっているわけです。あるいは、「好きなこと」があるのに、仕方がなく別のことをやっているのかもしれない。いずれにせよ深刻な事態です。これは、「すぐに役に立つ」ことばかりを評価する社会の意識が反映された結果でもあるのではないでしょうか。

もちろん、社会課題の解決に役立つ研究をしたいとか、そういう気持ちはあっていい。研究テーマに流行り廃《すた》りがあるのも確かです。それでも、科学全体が「有用性」重視の風潮に染まってしまえば、知的好奇心という最も重要なベースは育たなくなるでしょう。ただ知りたい――そんなモチベーションから始まった私のオートファジー研究も、ありえなかったはずです。

「科学」と「技術」をなぜ分けるのか？

次に、私がよく言うのは、科学は「文化」の一つであるということです。「科学」と「技術」を「科学技術」という言葉で一緒に論じるのは、間違っていると思います。とくに、いまのように「技術」のための「基礎科学」と位置づけられてしまえば、それはもう、役に立たないとどうしようもなくなるわけです。

私たち科学者はよく取材を受けるのですが、最後に必ず「これは○○の役に立つかもしれない」といったふうに書かれます。そういう取り上げ方はやめてほしいといつも話しているのですが、メディアからすれば、「役に立つ」という味つけをしないと読んでもらえないということです。

ただ、その一方で、小惑星探査機《しょうわくせい》「はやぶさ2」のニュースにみんながワクワクするということがあります。陸上で新記録が出ただとか、ベートーヴェンの音楽に感動するだとか、儲けにも「役に立つ」ことにもつながらない感動が、科学にもあるのです。「役に立つ」かどうかという以前に、わからなかったことがわかるようになることで、自分の人生が豊かになる。科学を「文化」として捉えるためには、そういう感覚を取り戻す必要があるのだと思います。

もちろん、本編でも述べたとおり、「科学」と「技術」の距離はいまだかつてないほど近づいていますから、科学がもたらす技術に対して、研究者は責任を持たなければなりません。科学者は「仙人」でいいなんて、私も思わない。

でも、「責任」という言葉だけで科学を縛るのも違うと思っています。「科学」と「技術」を分けて論じ、「責任」をグラデーションとして捉えること。もちろん分野にもよりますが、そういう丁寧《ていねい》な議論が求められるはずです。

「選択と集中」の問題も同じ。科学が何を生み出し、どのように展開していくかは誰にもわからないからこそ、研究者も研究費のあり方も多様なほうがいい。日本は大学が多すぎるとか、借金がたくさんあるから「選択と集中」をしなければならないとか、そういう議論が経済界を中心にあるのはわかっています。エネルギー問題、遺伝子科学、量子コンピューティング、あるいはウイルス研究。目下の問題に集中してもらわないと困る、という理屈もわかります。

しかし、そこだけに投資をすれば日本がよくなるわけではありません。目の前の問題を解いた先に、また次の問題が出てくる――それが科学です。二〜三年単位での計画と成果を求められる競争的資金では、十年、二十年単位の問いなど立てられません。「選択と集中」が絶対悪なのではなく、それをやるならベースをちゃんとしないといけないということです。大事なのは、そこから外れたところにも研究者が存在し、ちゃんと研究できていること。選択されなかった部分はなくせばいいなどという乱暴な議論は、絶対にしてはいけないのです。

まずは一回、失敗してみよう

大学や科学をめぐる現状を見ていくと、どうも悲観的な空気になってしまいます。

いまの学生は実際に大変です。科学の分野に行きたくなくなる気持ちもわかりますが、若い研究者の数の減少は憂慮《ゆうりょ》すべき問題です。ただ、数がいればいいというわけでもない。大事なのは、適性のある人がこの分野に飛び込んできてくれることでしょう。科学者は、ある意味では変わった人間集団ですから、偏差値《へんさち》の高いエリートがいれば発展するわけではない。

もし、あなたがまだ若いのだとしたら、私が伝えたいのは、「まずは一回、失敗してみよう」ということです。人生一〇〇年時代といわれるくらいだから、少しくらい回り道をしてもいい。とにかく若い人たちはみんな、失敗をものすごく怖がります。講演でいつも聞かれるのは、ネガティブな事柄をどう回避するかということばかり。それくらい、失敗したらおしまいだという意識が蔓延しています。

でもね、ほとんどの研究者は回り道をしてきたのです。そうした回り道やつまずきが、どこかで何かの「役に立つ」ことがある。それはそのときまでわからない。だからこそ、人生を一本道で設計してほしくないのです。成功しつづけなければ科学者ではいられないなんてことは、ありません。まずは一回、失敗してみる。それくらいの精神的な余裕を持ってください。一回も失敗してはいけないなんてことを言い出したら、科学から新しいものは生まれなくなってしまいます。

科学の世界は、費用対効果で割り切れるものではありません。一〇〇万円投じたら、倍になって返ってくるなんてことはない。もちろん、できるなら返ってきてほしいですよ。でも、そういう発想を、あなたを含めた個々の「人間」に当てはめないでほしい。ある人が失敗したからこそ、別の人がそれを乗り越え、成功することがあるのです。失敗したら落伍者《らくごしゃ》であるとか、やってきたことの意味がなくなるとか、そういうことはないのです。一人の失敗が、科学全体を支えるのです。現代科学はチームでやることが増えていますから、なおさら、多様な人びとが失敗も含めて議論をすることが大事です。そう考えると、科学者の適性とは、問いへの強いこだわりがあること、失敗してもいいと思えること、なのかもしれません。

科学研究は失敗の連続です。一回の失敗で心が折れていたらやっていられません。完璧《かんぺき》などありえないからこそ、きわめて人間的な営みであると言えるのです。

そのことを、あなたにもわかってもらえたら幸いです。


（構成＝編集部）

3 隠岐さや香▼▼

人文社会科学は「役に立つ」ほど危うくなる

一般的に、「何かに役に立つ研究」の動機は「Xのために役立つからYを研究したい」といったかたちで表明されます。すると、内容はどうであれ、その人の関心はXとYとに分散していることになります。場合によっては研究対象のYよりXのほうが大事なことすらあるかもしれません。

それに対して「とにかくYを研究したい」という場合、その人は基本的にYのことしか考えていないはずです。すぐに役立たないとされる研究の多くは、このように研究対象自体への純粋《じゅんすい》な関心により成り立つものが多いように思います。

自然科学の基礎研究なら、Yのところになんらかの自然現象が入ります。人文社会系の研究の場合、そこには人間社会に存在する対象があてはまります。私自身のこれまでの研究に引き寄せて考えると、それはたとえば「一七〜一八世紀のヨーロッパにおける学問の分類方法」であったりします。

私は、見たことも実際にその場に身を置いたこともない遠い時代、場所にいた人びとや、その思考様式などが明らかにされていくことに知的興奮を感じます。

自分の研究がなんの役に立つのかと問われれば理由をあげることはできますが、本音を言うとそれは二次的なものです。本来の動機の根本は、「とにかく対象を理解したい」という気持ちでしかないからです。それは自分の中ではその対象への愛にも似た感情です。

近年、このような対象への関心に重きを置く研究に対して、人びとの許容度が相対的に下がっていると感じます。少なくとも「Xのために役立つからYを研究したい」のXに「現代の日本社会」を入れることを強く求める人はその傾向があります。

ルース・ベネディクトの「役に立ちすぎた」研究

ところで、人文社会系の研究は使いようによってはかなり役に立ちます。むしろ、役に立ちすぎるから不穏《ふおん》という事例すらあるくらいです。

第二次世界大戦中、米国軍の戦時情報局は対日本戦略のため日本文化研究をおこなっていました。そこに勤務していた人類学者のルース・ベネディクトの研究は終戦期における米政府の方針に影響を与えたといわれます。当時のトルーマン大統領の側近には米軍による戦後統治の一環として天皇制の即時解体を求める声もありました。しかし彼女は米軍の占領《せんりょう》が混乱に終わるのを避けるためには、天皇制の維持が必要と進言したのです。彼女の研究は戦後すぐに『菊《きく》と刀《かたな》』（一九四六年）という題名で出版され有名になりました。

ベネディクトはもともとアメリカ先住民の文化人類学的研究をしていました。日本語は話せず、戦時中なので日本への訪問もありえませんでした。彼女は英訳された日本関連文献や、英語のできる在米日系人、通訳を介した日本人捕虜《ほりょ》へのインタビュー等を通じて研究をおこなったのです。その内容には現代でも高い評価があります。しかし他方では、実際の日本社会の時代や地域ごとの多様性を無視して、日本文化に対するステレオタイプを示すに留まった研究との批判も浴びました。

軍の要請《ようせい》で日本を研究したベネディクトが研究対象にいかなる感情を抱いていたのか、私はよく知りません。ただ一つ言えるのは、彼女がその研究により「天皇制維持による無条件降伏《こうふく》」という、当時の日本人為政者《いせい》層にとって妥協《だきょう》可能な交渉《こうしょう》ラインを探し当てたということです。[3] 日本研究としては緻密《ちみつ》でも十分でもなかったかもしれませんが、時代の求める内容ではあり、それゆえにアメリカにとって「役に立つ」研究だったと言えるでしょう。

欧州で議論される研究者の「倫《りん》理《り》」

人社系の研究は人間の価値観や文化、アイデンティティの問題をよく扱います。そ

[3] Ison Boles, "Ruth Benedict's Japan: the Benedicitons of Imperialism", *Dialectical Anthropology* (2006), 30, p. 57–62, 69, n. 117. DOI: 10.1007/s10624-005-5057-y. 犬飼裕一「『日本人』を語る二つの方法――ルース・ベネディクトとジョン・ダワー」『史観』第一四八冊、二〇〇三年、四八～六四頁。ポーリン・ケント「ルース・ベネディクトの個人的背景と『菊と刀』の誕生」『よみがえるルース・ベネディクト――紛争解決・文化・日中関係』龍谷大学アフラシア平和開発研究センター、二〇〇八年一二月六日、九～二〇頁。

うした研究が広い範囲の人びとに認知され、なんらかの目的に「役に立つ」ときに何が起こりうるのか、私たちはもっと考えなければいけないと感じます。一足早く人文社会系が科学・技術・イノベーション政策の本格的な振興対象となった欧州においては、そのことが強く意識され始めています。

ノルウェイの社会システム・モデリングセンター所長を務めているF・シャルツ氏は宗教研究を専門としていましたが、コンピューターサイエンスの研究者たちと共同研究をおこない、過去に起きた実際の宗教紛争《ふんそう》の情報を用いて、社会システムをモデリングしました。それにより、どのような条件で、ある宗教コミュニティが勢力を広げたり、コミュニティ同士の敵対関係が起きたりするかなどをシミュレーションできるようにしたのです。

シャルツ氏らの研究自体は、宗教紛争という対象に関する純粋な関心にもとづいていたはずです。しかし彼ら彼女らは自分たちのモデルが紛争解決や社会不安を減らすための政策助言に有効であることも意識しており、実際にそのことをアピールしてもいます。

また、彼ら彼女らは自分たちの研究の危うい面にも気づいています。たとえばそれは対宗教過激派テロ戦略への応用など、軍事転用も可能な要素を秘めているのです。ゆえにシャルツ氏は、人文社会系の研究者は自らの研究の倫理的基準をしっかり考えなければいけないとも述べています。[4] その主張は、研究者たちがヨーロッパの科学政策の中で人文社会科学の果たすべき役割を総括《そうかつ》した二〇一三年のヴィリニュス宣言とも重なる部分があります。[5]

安易に「動員」されてはいけない

日本でも科学技術基本法が改正され、人文社会科学が科学技術イノベーション政策

4 カリフォルニア大学サンタバーバラ校の以下のページを参照。「Human Simulation: AI, Ethics and the Future of the Humanities」(https://www.library.ucsb.edu/events-exhibitions/human-simulation-ai-ethics-and-future-humanities)

5 二〇一三年九月、ヨーロッパの人文社会系研究者たちがヴィリニュス（リトアニア共和国首都）に集まり、まとめた宣言。イノベーションや経済に価値が置かれる現代社会において、人文社会科学の研究が果たすべき役割や貢献の可能性について九つの主張が展開されている。原文は以下より。http://horizons.mruni.eu/vilnius-declaration-horizons-for-social-sciences-and-humanities/

の対象となることが決まりました（二〇二一年四月施行）。要は人文社会系も社会生活や経済活動のため「役に立つ」という認識が政策レベルでも広まり始めています。

同時に、私は悩ましい気持ちも感じます。確かに、貧困《ひんこん》問題やジェンダー不平等、環境問題など、複雑化する現代社会の課題を解決するにあたり人文社会科学は欠かせません。むしろいままでの政策があまりにもそうした研究への参照を欠いてきたと思うくらいです。

しかしそのことは認めつつも、研究者の側が素朴《そぼく》にキラキラした瞳《ひとみ》で一生懸命「役に立つ」研究ばかりを追いかけようとするのも危ういと感じます。というのも、ここまで学問の有用性が強調される世情《せじょう》自体が不穏であるからです。あたかも研究者は何かの闘《たたか》いに「動員」されようとしているかのようです。

無論、その闘いは武力をともなう戦争というよりは、国際的な市場競争という闘いであったり、あるいは不平等など社会的な不正に対する（それ自体はなされるべき）闘いであったりするでしょう。世界はいま、不安定で苦痛に満ちた場所になっています。そのため研究者を前線へと呼びかける声が高まっているのでしょう。

ただ、だからこそ私は、研究があまりにも易々《やすやす》と「動員」されてはならないとも思うのです。本来、学問は何かの道具になるべきではなく、それ自体が目的であるべきもののはずだからです。

さらに言えば、私たちの知性には限界があります。「社会のために」というとき、「社会」という言葉の背後に特定の集団が隠れているのか、それともそれが人類全体なのか判別のつかないことがしばしばです。知の探究の本質を取り違えたうえで、さらに非人道的な取り返しのつかない振る舞いをすることがあるかもしれません。そうした愚行《ぐこう》の抑止《よくし》のためにも、「役に立たない」学問には常に一定の役割が与えられるべきでしょう。

謝辞▼▼「役に立たない」研究の未来

ナビゲーター　柴藤亮介（アカデミスト株式会社）

同じ「研究者」でも、立場や専門分野によって、さまざまな意見や考え方があるのだなあ。本書を読み終えたいま、そのように感じているのではないでしょうか。

そうなのです。それにもかかわらず、大隅さんが第三部でおっしゃったように、分野を超えた議論は、研究者のあいだでさえも、あまりおこなわれてこなかったのです。

しかし、時代は変わりつつあります。インターネットの登場・普及によって、分野の壁を超えることはそう難しくなくなり、結果として、研究者だけではなく、今回イベントに参加してくださった方々や、この本を手に取ってくださったみなさんのような研究者以外の人たちも、一緒になって議論を進められるようになりました。

だから、こうしたイベントを実現できたこと自体が、これからの基礎研究にとって非常に大きな一歩になったのではないかと思います。また、今回のイベントが書籍としてまとまったことで、同じような問題意識を抱える方々のネットワークがさらに広まるのではないかということも、期待せずにはいられません。

さて、本書の主題でもある「役に立たない」とされてしまうような研究を発展させていくためには、隠岐さんのプレゼンテーションにもあったように、なぜ「役に立たない」研究が必要なのかということを（そして、ときにはそれが「役に立つ」必要がないということも）、あらゆる「説得の言葉」を駆使して主張しつづけなくてはならならないでしょう。主張する先は国だけではありません。初田さんがおっしゃっていたように、企業や財団、一般市民など、さまざまなステークホルダーを巻き込んでいく必要もあります。

私は、アカデミストという会社を起点に、そうしたムーブメントを起こしていきたいと考えています。しかし、一つの会社の力だけでは限界があります。だからこそ、この本を最後まで読んでくださった読者のみなさんと一緒に取り組んでいきたいと思うのです。

ここ数年、非専門家が参加できる「市民科学」の動きが活発になってきたり、クラウドファンディングで一般の方が研究者を直接支援したりするなど、「研究」に関わるための方法は増えています。まずは気軽に、ご自身の気になる分野から、接点を持ってみませんか？　きっとそこから、基礎研究の未来を「自分ごと」として捉える試みが始まります。

最後になりましたが、イベントにご登壇いただいた初田哲男さん、大隅良典さん、隠岐さや香さんには、本書の制作も含め、貴重な研究時間を割いていただきました。本当にありがとうございます。今後のアカデミストの活動にも活きる、貴重なディスカッションとなりました。

また、そもそも本書が生まれたのは、編集者の天《あま》野《の》潤《じゅん》平《ぺい》さんにお声がけいただいたことがきっかけです。本書の編集は非常に骨の折れる作業であったと思いますが、それでも粘り強く丁寧にご対応いただいたおかげで、すばらしい一冊が完成しました。

そして、アカデミスト社の周《す》藤《とう》瞳《ひと》美《み》さんには、イベントの運営サポートと本書の制作に関するアドバイスを、同社の道《みち》林《ばやし》千《ち》晶《あき》さんには、当日の運営サポートをしていただきました。ほかにもさまざまな方々のご協力があり、本書の完成に至りました。改めて御礼申し上げます。

これからもアカデミストは、さまざまな角度から「研究者をつなぐ」事業を展開することで、「開かれた学術業界を実現し、未来社会の創造に貢献する」というビジョンの達成に向けて活動してまいります。

「役に立たない」研究の明るい未来を、ともに考え、つくっていきましょう。

二〇二一年二月

初田哲男

▷Tetsuo Hatsuda

理化学研究所 数理創造プログラム
プログラムディレクター

一九五八年、大阪生まれ。理化学研究所数理創造プログラムディレクター、東京大学名誉教授。京都大学大学院理学研究科博士課程修了。理学博士。東京大学大学院理学研究科教授、理化学研究所主任研究員などを経て、現職。専門は理論物理学。仁科記念賞、文部科学大臣表彰（科学技術分野）などを受賞。著書に『Quark-Gluon Plasma』（共著、ケンブリッジ大学出版局）、翻訳に『「役に立たない」科学が役に立つ』（監訳、東京大学出版会）などがある。

大隅良典

▷Yoshinori Ohsumi

東京工業大学 科学技術創成研究院
細胞制御工学研究センター 特任教授

一九四五年、福岡生まれ。東京工業大学科学技術創成研究院細胞制御工学研究センター特任教授・栄誉教授。大隅基礎科学創成財団理事長。東京大学大学院理学系研究科博士課程単位取得後退学。理学博士。自然科学研究機構基礎生物学研究所教授、東京工業大学フロンティア研究機構特任教授を経て、現職。専門は分子細胞生物学。「オートファジーの仕組みの解明」により二〇一六年のノーベル生理学・医学賞を受賞。

▷Sayaka Oki

隠岐さや香

名古屋大学大学院
経済学研究科 教授（科学史）

一九七五年、東京生まれ。名古屋大学大学院経済学研究科教授。東京大学大学院総合文化研究科博士課程退学。博士（学術）。広島大学大学院総合科学研究科准教授を経て、現職。専門は科学史。日本学術会議連携会員。著書に『科学アカデミーと「有用な科学」――フォントネルの夢からコンドルセのユートピアへ』（名古屋大学出版会）、『文系と理系はなぜ分かれたのか』（星海社新書）など多数。

▷Ryosuke Shibato

ナビゲーター 柴藤亮介

アカデミスト株式会社 代表取締役CEO

一九八四年、埼玉生まれ。首都大学東京理工学研究科物理学専攻博士後期課程を二〇一三年に単位取得退学。二〇一四年に日本初の学術系クラウドファンディングサイト「academist」を立ち上げ、研究の魅力を研究者が自ら発信するためのプラットフォーム構築を進めている。大学院での専門は原子核理論、量子多体問題などの理論物理学。

「役《やく》に立《た》たない」研究《けんきゅう》の未来《みらい》

二〇二一年四月二五日　第一刷発行
二〇二四年五月一〇日　第三刷発行

著　者　初田哲男《はつだてつお》・大隅良典《おおすみよしのり》・隠岐《おき》さや香《か》
編　者　柴藤亮介《しばとうりょうすけ》

発行者　富澤凡子
発行所　柏書房株式会社
〒一一三-〇〇三三　東京都文京区本郷二-一五-一三
電話（〇三）三八三〇-一八九一［営業］
（〇三）三八三〇-一八九四［編集］

装　丁　池田進吾＋望月志保（next door design）
装　画　カシワイ
組　版　髙井　愛
校　閲　株式会社麦秋アートセンター
印　刷　壮光舎印刷株式会社
製　本　株式会社ブックアート

ISBN 978-4-7601-5348-0